명호 사인

2000, 3.

아름다운 것은
무엇을 남길까

아름다운 것은
무엇을 남길까

박완서 산문선

세계사

차 례

제1부 생활의 향기

제2부 고향의 향기

제1부
생활의 향기

항아리를 고르던 손

여자는 누구나
한두 군데는 아름답다.
만일 어디 한 군데도
아름답지 않은
여자가 있다면
그는 사랑받지 못하거나,
사랑할 줄 모르는
여자일 것이다.

항아리를 고르던 손

아름다운 여자의 손

부엌에서 맛있는 걸 만들고 있는 여자는 아름다워보인다. 그런데 찌개 냄비를 열고 찌개맛도 냠냠 보고, 콩나물도 조물락조물락 무쳐야 할 손에 커다랗고 시뻘건 고무장갑이 끼워져 있으면 그 아름다움이 아깝게도 반감되고 만다.

여자의 몸 중에서 손처럼 섬세하고 날렵한 부분은 없다. 이 손이 그 섬세한 날렵의 극치를 보여줄 때가 바로 음식을 만들 때다.

그런데 자기 손 부피의 서너 배도 넘는 징그러운 고무장갑이 그 아름다운 움직임을 보호한답시고 가리고 있으면 왠지 정나미가 떨어진다. 정나미뿐 아니라 입맛까지 떨어지면서 그 음식이 맛없을 것 같은 선입관이 들고 만다.

더군다나 나는 음식맛은 재료와 간과 양념의 알맞은 배합, 조화에서 난다는 과학보다는 여자의 손끝에는 맛을 분비(分泌)하는 선(線)이 있어 거기서 맛이 날지도 모른다는 미신을 더 믿는 편이니 말이다.

그래서 요즈음 집집마다 음식맛까지 획일화된 게 그 고무장갑 때문인 것 같아 더욱 고무장갑 끼고 음식 만드는 요즘 새댁이 덜 예뻐보이고 맨손으로 음식 만드는 새댁을 혹시 보면 그렇게 반갑고 예뻐보일 수가 없다.

아무튼 여자는 손으로 뭘 하고 있을 때가 가장 아름다워보인다. 저녁을 마친 후 텔레비전을 틀어놓고 뜨개질을 하고 있는 여자도 아름답다. 두 손끝 맺고 텔레비전만 일사불란 골몰하고 있는 것보다 일과 구경을 같이하면서도 어느 한쪽에도 깊이 골몰하지 않는 반휴식(半休息)의 여유 있는 상태의 여자의 모습은 가족이 한자리에 모인 따뜻한 안방에 잘 어울리는 아름다움이 있다.

얼굴에 정겨운 웃음을 띠고 손으로 남편이나 자식들의 옷매무새를 괜히 고쳐주는 여자도 아름답다.

남편 출근시키고 아이들 학교 보내고 집안 청소하고, 빨래하고 쓰레기차가 와서 쓰레기까지 치고 나서 문득 거울을 보니 봉두난발, 꼴이 하도 한심해 오랜만에 정성들여 화장하고 나니 아침나절의 피곤이 한꺼번에 밀어닥쳐 낮잠을 늘어지게 자고 난 여자도 아름답다. 옷매무새와 머리카락은 얌전치 못하게 헝클어졌어도 피로회복으로 살갗에 윤이 나면서 나른한 퇴폐미 같은 게 풍기는 순간이다.

우리집은 지대가 약간 높아 비탈길을 올라와야 된다. 언젠가 주민등록증을 갱신하러 동회에 가느라고 비탈길을 내려가는데 저만치서 이웃의 부인이 시어머니를 모시고 올라오고 있었다. A부인의 시어머님은 팔순이 넘으신 데다 병약하셔서 좀처럼 이웃 출입도 안하시는 분이라 비탈길을 올라오시는 게 매우 숨이 차보였고 위태로워보였다.

껴안듯이 노인을 부축하고 한발 한발 조심스럽게 걷던 A부인이 별안간 무슨 생각에선지 등을 노인에게 들이대더니 노인을 번쩍 업었다. 노인이 「아이고 망측해라」 하면서 어린애처럼 발버둥을 쳤다.

「괜찮아요. 제 어깨나 꼭 잡으세요.」

A부인이 상냥하게 노인을 달랬다.

그러나 노인은 열 손가락에 지문을 찍고 난 검은 잉크가 그대로 남아 있어 며느리 옷을 버릴세라, 손을 도리어 만세 부르듯이 번쩍 쳐들고 고개만 며느리 등에 순한 아기처럼 파묻었다.

그런 노인을 업은 채 A부인은 비탈길을 잘도 달려 올라왔다. 나는 웃음이 절로 났다. 딴 행인들도 이 고부(姑婦)를 보고 즐거운 듯이 깔깔댔다. A부인도 콧등에 땀이 송글송글한 채 환히 웃었다. 평소 용모가 소박한 평범한 부인이었는데 그날 그렇게 웃는 모습은 빼어나게 아름다웠다.

요즈음 우리 앞집으로 새로 이사온 B부인만 해도 살림에 찌든 티가 역력한 중년의 검소한 부인이었는데 어느날 그녀를 아름답게 느끼고 그리고 나서 그 부인과 친해질 수 있었다.

우리집에서 과히 멀지 않은 곳에 옹기전이 있다. 시장을 가려면 이 옹기전 앞을 지나야 된다. 지날 때마다 도시 한복판에 이런 넓은 공터가 있다는 것이 이상하고 공터에서 할 수 있는 하고많은 장사 중에서 하필 팔리는 것 같지도 않은 옹기전을 하는 게 이상하고, 그러면서 이 옹기전 근처의 풍경이 그냥 좋았다.

반들반들하니 암갈색으로 잘 구워진 크고 작은 독과 항아리가 첩첩이 쌓인 저쪽에 옹기 장수 오두막집이 있고 그 사이와 둘레의 공터엔 봄부터 가을까지 옥수수나 해바라기 같은 것도 자라고 분꽃이나 맨드라미 같은 촌스러운 화초도 자란다. 그래서 이 근처 풍경은 묘하게 촌스러웠다. 옹기 장수라는 장사야말로 장사 중에서도 또 얼마나 촌스러운 장산가.

요새 아파트 단지에 가보면 그야말로 생활여건이 완전히 갖추어져 상가와 슈퍼마켓에선 별의별 것을 다 팔고 있지만 아마 옹기전만은 없으리라. 단독주택에서 아파트로 옮겨갈 때 제일 먼저 처분하는 게 장독 세간이니까.

항아리를 고르던 손

옹기전의 B부인

　그런 사양길 장사인 옹기진이지만 김장철에만은 약간은 경기
가 있는 것 같다. 지난 가을이던가 시장엘 가는데 앞집 부인이
옹기전에서 항아리를 고르다가 나에게 도움을 청해왔다. 어느
것이 잘생겼나 좀 봐 달라는 거였다. 이목구비가 달린 것도 아
닌, 기껏 배만 불룩하면 고만인 항아리가 잘생겼으면 얼마나 잘
생겼고 못생겼으면 얼마나 못생겼겠는가. 나는 별로 달갑잖아
하면서 마지못해 항아리를 몇 개 기웃거려 봤다. 그런데 B부인
은 그게 아니었다. 심각한 얼굴로 첩첩이 쌓인 독과 항아리 사
이를 누비고 다니면서 고개를 갸우뚱, 눈을 가느스름히 떴다 크
게 떴다, 가까이에서 봤다가 멀리 물러나서 봤다가, 손으로 어
루만져 봤다가, 좀처럼 끝날 것 같지가 않았다. 보다 못한 주인
아저씨가 이래 가지고는 못 고른다고, 다 그게 그겁니다 하고
핀잔을 주었다. 그래도 B부인은 독 고르기를 그냥저냥 끝낼 눈
치가 아니었다. 나도 진력이 나서 혼자서 슬그머니 시장으로 가
면서 속으로 참 별 유난스런 여편네도 다 봤다는 생각을 했다.
　장을 봐 가지고 오다 보니 마침내 독을 하나 골라놓고 흥정
을 하고 있었다.
　「마음에 드는 것 고르셨어요?」
　「그럼요. 이것 보세요. 어때요? 잘생겼죠. 무던하고 후덕스
럽고, 의젓하고, 미끈하고……」

「아, 네, 참 그렇군요.」

나는 별로 그런 줄도 모르겠는데 B부인의 수다를 그만 듣기 위해서라도 그렇게 대답할밖에 없었다. 내 눈엔 거기 있는 독들에서 크고 작다는 차이밖에는 발견할 수가 없었고 B부인이 약간 비정상적으로 보였을 뿐이었다. 내 이런 마음을 알았던지 부인이 마음에 드는 독을 고른 흥분을 다소 가라앉히고는 변명 비슷한 소리를 했다.

「겨울 동안엔 김장 담가서 땅에 묻을 거지만요, 내년 봄엔 울궈서 간장 담을 건데. 우리집은 마당이 좁아서 온통 장독대 차지 아녜요. 화단도 따로 없고, 아침저녁 바로 코앞에 놓고 마주 대할 독인데 이왕이면 잘생겨야지 않겠어요?」

그리곤 자기가 고른 독을 만족한 듯이 다시 쓰다듬었다. 나는 부인이 우리 앞집으로 이사온 게 처음으로 내 집 장만한 이사라는 걸 알고 있었기 때문에 어쩌면 이 독이 내 집 장만하고 처음으로 들여놓는 세간이 아닐까 하는 생각이 들었다.

그런 생각으로 다시 B부인을 보니까 B부인이 새댁처럼 앳돼 보이면서 독을 쓰다듬으며 짓는 미소가 싱그럽고 귀여웠다. 나는 물건을 살 때 너무 오래 만지고 고르는 사람을 덮어놓고 지겨워하는 버릇이 있는데 B부인의 경우에 있어서는 반대로 친밀감이 갔다.

요즘 대가(大家)의 미전(美展)에 가보면 미술을 애호하는 귀부인들이 부쩍 많이 눈에 띄고, 또 거액의 그림값도 조금도 거액답잖게 척척 치르고 그림을 사는 것을 볼 수 있다. 그렇지만 그 귀부인들이 값비싼 그림을 보고 사들일 때 과연 B부인이 옹기전의 독 중에서 가장 아름다운 독을 고르기 위해 치른 것만큼이나마 진지하게 보고 찾는 과정을 거쳤을는지 또 B부인이 오래 보고 찾은 끝에 드디어 소망하던 아름다운 독과 만났을 때만큼의 순수한 기쁨이나마 맛보았을는지.

B부인처럼 이렇게 값싼 생활용품이나마 애정을 가지고 사귀기 시작해서 아름답게 길을 들이며 사는 여자에겐 약간 따분하지만 특이한, 마치 흘러간 옛노랫가락 같은 복고적인 아름다움이 있다. 우리의 전래되는 민속 공예품이 아름다운 게 본래부터 그렇게 아름답게 만들어진 게 아니라 B부인처럼 마음씨 고운 여인의 알뜰한 손길에 의해 그렇게 아름답게 길들여졌음이 아닐까.

사랑받는 여자는 아름답다

이와는 대조적으로 새로운 것에 대한 호기심이 대단해서 새로운 것을 의욕적으로 추구하는 여자들도 그들 나름으로 아름답다. 새로운 것을 찾는 정도가 자기가 처한 분수에서 크게 동떨어지지만 않으면 말이다.

이런 여자들은 대개 생활을 끊임없이 편리한 생활양식으로

항아리를 고르던 손

바꾸기를 좋아하고 새로운 생활용품에 대한 관심과 소유욕이 대단해서 묵은 생활용품을 버리는 데 조금도 망설임이 없고, 유행을 추종하는 데 정열적이고 생활의 과학화의 적극적인 지지자며 자기의견을 말하는 데 대담하다.

이런 여자들은 거의 핵가족의 젊은 주부들로 아이도 아들딸 가리지 않고 둘만 낳고, 남편을 자유롭게 조종할 줄 알며 생활을 능동적으로 즐길 줄도 알고 성격이 명랑 솔직하며 몸은 건강하게 균형잡혀 있고, 웃음소리는 거리낌없이 드높다.

신흥 주택가나 아파트 단지의 잘 포장된 도로에서 얼마든지 마주칠 수 있는 이런 여자들을 보면 나는 마치 목욕탕에서 갓 나온 여자를 보는 것처럼 느낀다. 묵은 때, 낡은 관습을 훨훨 떨어버리고 날아갈 듯이 가볍고 자유로워뵈는 점에서, 온몸의 혈액순환이 활발한 것 같은 건강한 인상에서, 그 싱그럽고 밝은 표정에서 이런 여자들은 갓 목욕하고 난 여자와 아주 닮아 있다. 이런 여자가 어찌 아름답지 않으랴. 어떤 의미로든 여자가 아름답다는 건 좋은 일이다. 주위를 밝히는 빛이요 축복이다. 다행히, 참으로 다행히, 여자는 누구나 한두 군데는 아름답다. 만일 어디 한 군데도 아름답지 않은 여자가 있다면 그는 사랑받지 못하거나, 사랑할 줄 모르는 여자일 것이다.

수많은 믿음의 교감

우리가 믿음에 대해
쉬 잊고 배신을 오래
기억하고 타인에게
풍기지 못해하는 것도
우리의 평범한 일상의
바탕이 결코 불신이
아니라 믿음이기
때문일 것이다.

수많은 믿음의 교감

 집집마다 친척들이 한자리에 모이는 일은 점점 줄어드는 대신 각자가 마음에 맞는 친구들하고 만나는 일은 점점 늘어나는 것 같다. 거북하고 의례적인 상하관계보다는 편하고 대등한 인간관계를 즐기고 싶은 건 당연한지도 모르지만 차츰 나이를 먹으니 사라져가는 게 아쉬울 때도 없지 않아 있다.

 정초에 친정어머니께 세배드리러 갔다가 참으로 오래간만에 대소가가 함께한 자리에 끼게 됐다. 그러나 세배가 끝나자 역시 젊은이는 젊은이끼리 큰 아이들은 큰 아이들끼리 어린이는 어린이들끼리 패가 갈라져 잡담도 하고, 화투놀이도 하고 텔레비전도 보게 되었다. 그중에서도 화투놀이패가 가장 시끌시끌하고 활기에 넘치더니 차츰 잡담 패거리가 그 활기를 앞질러 시끄러워지기 시작했다. 무슨 얘기가 그렇게 재미있을까 싶어 슬그머니 끼여들어 봤더니 맨 봉변당한 얘기였다. 봉변도 지나가는 택시에 의해 새 옷에 흙탕물이 튀었다든가 하는 정도의 고의성 (故意性)이 희박한 봉변이 아니라 믿는 도끼에 발 찍힌 식의 질 나쁜 봉변 얘기가 대부분이었다.

그런 얘기는 무궁무진했다. 남이 속은 얘기에 혀를 차면서 동시에 자기가 속은 얘기를 하고 싶어 입술로부터 쫑긋대며 안 달을 하기도 했다.

거액을 사기당한 얘기로부터 버스간에서 가방을 받아준 고마 운 아줌마에 의해 만년필을 소매치기당한 얘기까지, 도시 고위 층의 공약(公約)에 속은 얘기로부터 백원짜리 상품의 용량에 속고, 바겐세일의 반값에 속은 얘기까지 두루두루 속은 얘기들 로 경합을 벌이다 보니 언성이 높아지고 분위기는 활기를 띠었 다. 그건 분명히 유쾌한 화제가 못 되었을 텐데도 우린 어느 틈 에 그걸 즐기고 있었다. 미담보다는 악담에 더 정열적인 게 천 박한 기질이라는 걸 돌볼 겨를도 없었다.

이때 언제부턴지 우리의 이야기판에 귀를 기울이고 계시던 팔십 노모께서 혼자말처럼 한마디하셨다. 「난 원 복도 많지. 이 나이에 그런 못된 사람들을 별로 못 겪어봤으니……」

어머니의 이런 말씀은 우리의 소리 높은 악담 속에서 아무런 흥미도 못 끌었다. 더구나 어머니는 세속적인 의미로 과히 복 (福) 좋은 노인도 못 됐다. 그러나 그런 말씀을 하실 때의 어머 니가 기를 쓰고 악담을 하는 우리보다 훨씬 곱고 깨끗하고 행복해보이시는 걸 나는 놓칠 수 없었다. 그리고 뒤늦게 슬그머니 입을 다물고 말았다.

내가 어머니로부터 그런 무안을 당하긴 그게 처음이 아니었다. 요새는 근력이 안 좋으셔서 못 다니시지만 재작년까지만 해도 절[寺]에 열심히 다니셔서 나도 가끔 모시고 가봤었는데 그때마다 절의 속악한 분위기라든가 스님과 신도들과의 상업적인 관계 등에 대해 나는 꽤 악랄한 비평을 했었다. 어머니는 이런 나를 이렇게 나무라셨다.

「원 뭐 눈엔 ×밖에 안 뵌다더니……, 넌 어째 그런 것밖에 못 보냐? 난 부처님 한 분 우러르기에 그저 감지덕지하느라 그런 건 눈 귀에도 안 들어오더니만……」

보는 눈에 따라 이렇게 한 가지 사물, 동일한 현상도 정반대로 보이는 수는 부지기수다.

사람이 믿었다가 속았을 때처럼 억울한 적은 없고, 억울한 것처럼 고약한 느낌은 없기 때문에 누구든지 어떻허든지 그 억울한 느낌만은 되풀이해서 당하지 않으려 든다. 다시 속기 싫어서 절대로 다시 속지 않는 방법의 하나로 만나는 모든 것을 일단 불신부터 하고 보는 방법은 매우 약은 삶의 방법 같지만 실은 가장 미련한 방법일 수도 있겠다.

믿었다가 속은 것도 배신당한 것에 해당하겠지만 못 믿었던 것이 실상은 믿을 만한 거였다는 것 역시 배신당한 것일 수밖에 없겠고 배신의 확률은 후자의 경우가 훨씬 높을 것이다.

우리 어머니가 팔십 평생을 회고하며 자신있게 못된 사람 만난 일 없다고 술회할 수 있듯이 세상엔 믿을 만한 게 훨씬 더 많다. 우리가 믿음에 대해 쉬 잊고 배신을 오래 기억하고 타인에게 풍기지 못해하는 것도 우리의 평범한 일상의 바탕이 결코 불신이 아니라 믿음이기 때문일 것이다.

그날 귀갓길은 정월 초하룻날 내린 폭설이 조금도 녹지 않고 그대로 얼어붙어서 몹시 위태로웠다. 친정에서 우리집까지는 같은 서울 시내건만 30km 가까운 거리이다. 그런 거리를 늦은 밤 택시로 달리는, 아니 기는 기분은 실로 아슬아슬했다. 주행선은커녕 차도와 인도와의 구분도 없이 차 사이를 행인이, 행인 사이를 차들이 요령껏 엉금엉금 기고 있었다.

아마 운전기사에 대한 신뢰감이 없었던들 나와 나의 식구들의 안전을 그 차에 그렇게 전적으로 맡길 수는 없었으리라. 그러나 그 택시 운전사가 전서부터 아는 사람일 리는 없었고, 믿을 만한가 아닌가를 알아보기 위해 관상이라도 봐뒀던 것도 아니다. 그냥 그가 믿음직스러웠다. 우리의 믿는 마음이 그와 교감해 그를 더욱 책임감 있게 했고 그런 교감에 의해 차 속의 분위기까지 훈훈하고 화목한 것이었다.

내가 탄 택시의 운전기사에 대해서뿐이 아니었다. 차 사이를 조심스럽게 누비는 행인들, 앞뒤 옆으로 엇갈리는 딴 차들의 운전기사들에 대한 믿음 역시 없었더라도 그날밤 집으로 돌아오는 일은 만용이었으리라. 그날밤 일이 지금 생각해도 유쾌한 건 이런 광범위한 믿음의 교감(交感)의 추억 때문인 것 같다.

우리가 아직은 악(惡)보다는 선(善)을 믿고, 우리를 싣고 가는 역사의 흐름이 결국은 옳은 방향으로 흐를 것을 믿을 수 있는 것도 이 세상 악을 한꺼번에 처치할 것 같은 소리 높은 목청이 있기 때문이 아니라 소리 없는 수많은 사람들의 무의식적인 선, 무의식적인 믿음의 교감이 있기 때문이라고 나는 믿고 있다.

올 겨울은 눈이 많을 뿐더러 추위 역시 대단했다. 우리집처럼 방이 여럿이고 방마다 연탄을 때는 집에선 매일매일 배출해 내는 연탄재만 해도 엄청나다. 만일 하루 걸러 청소부가 사흘이나 닷새쯤 오지 않는다면 우리 동네는 연탄재에 묻히리라. 그러나 청소부 아저씨는 어김없이 온다. 아침 기온이 영하 15도가 넘는다는 관상대 발표를 듣고 나서 아저씨의 손수레 바퀴가 언 땅을 덜커덕덜커덕 구르는 소리를 들을 때처럼 고맙고 안심스러울 때는 없다.

그러나 폭설이 내린 다음날 나는 청소부 아저씨를 믿을 수가 없었다. 그도 그럴밖에, 우리집은 지대가 높아 완만하게 경사가 진 비탈길은 동네꼬마들에 의해 스키장으로 변해 있었다.

그 위험한 눈길을 뚫고 손수레를 끌고 연탄재를 수거하러 오길 바라는 건 지나친 욕심 같았다. 쌓이는 연탄재만큼의 우울과 근심이 내 가슴을 짓눌렀다.

그러나 그날 아침도 쓰레기통은 말끔히 비어 있었다.

올 겨울도 많이 추웠지만, 가끔 따스했고, 자주 우울했지만 어쩌다 행복하기도 했다. 올 겨울의 희망도 뭐니뭐니 해도 역시 봄이고, 봄을 믿을 수 있는 건 여기저기서 달콤하게 속삭이는 봄에의 약속 때문이 아니라 하늘의 섭리에 대한 믿음 때문이었다.

이웃 사랑

이웃 간에 미움을
받을 만한 나쁜 사람이
정말 있는 게 아니라
오로지 오해가
있을 뿐이란 생각이 든다.
오해가 높은 담장도
되고 가시울타리도
되어서 이웃 간을
소원하게 만드는 것이다.

이웃 사랑

지난 겨울의 추위는 혹독했다. 지금 사는 집에서 20년째 살아오는데 지하실에 저장한 김칫독이 꽁꽁 얼어서 한겨울에 김장김치도 제대로 못 먹긴 이번 겨울이 처음이었다. 익지도 않고 겨울을 난 김치가 예년 같으면 군내가 날 요즈음 맛있게 익어서 잘 먹고 있다.

그래 그런지 수도 동파사고가 잦았다. 이웃에서 집집마다 수도가 안 얼어붙어 본 집이 없는 것 같았다. 우리 골목에선 우리 집이 있는 줄은 지대가 낮고, 앞줄은 지대가 높아 집들이 축대 위에 높이 솟아 있기 때문에 한 골목이면서도 어쩐지 이웃 기분이 안 나고 있다. 축대 높은 집들은 평지 집보다 수압이 약간 떨어지는 모양으로 동파사고도 더 잦아서 그럴 때마다 수리공이 대문을 두드리고 우리집 수도 계량기통 뚜껑을 열고 굵은 전선을 들이댔다. 양쪽 집 수도관에 강한 전류가 흐르게 해서 녹이는 방법은 전력은 많이 소모되지만 가장 빠르고 쉬운 방법인 것 같았다.

커다란 트랜스를 자전거에 싣고 다니면서 언 수도를 녹여주는 사람이 유난한 추위에도 혼자서 대목 만난 즐거움으로 싱글벙글 우리집을 자주 드나들었다. 너무 자주 대문을 열어주고 계량기통 속의 보온용 가마니를 풀어줘야 할 때는 그 사람도 미안해서 어쩔 줄을 모르고 연방 고개를 굽신댔다. 그보다는 정작 수도가 언 집주인이 우리집에 와서 늘 귀찮게 해서 미안하다는 말을 미리 하고 양해를 구하는 게 예절일 듯싶은데, 그렇게 하는 집은 어쩌면 한 집도 없었다.

수도관 언 것을 녹여주고 돈 받는 사람을 불러 녹여서 물이 나오면 얼마 주겠다고 청부를 준 바에야, 이웃집과 교섭하는 일도 그 사람이 맡는 게 당연하다고 생각하는 것 같았다. 그래도 나는 그게 좀 섭섭했다. 지대가 낮고 수도 관리를 잘해서 얼어붙지 않은 집들 중에서 번번이 우리집만 대문 열고 계량기통 뚜껑을 열어줘야 하는 일이 짜증스러울 때도 있었다. 선심 중에도 물 선심이 으뜸간다는 말이 있을 정도로 물 없는 고통은 큰 거고, 이웃의 이런 큰 고통을 위해 그 정도의 수고를 하는 게 짜증스럽기까지 했던 이웃의 이런 말없음 때문이었을 것이다.

혹한이 더욱 기승을 떨자 전류를 흐르게 하는 것만으로 안되었던지, 인부를 대서 땅을 파고 동파된 수도관을 갈아넣는 집까지 생겨나기 시작했다. 그런 집들이 다 축대 높은 집들이어서 서로 얼굴이나 겨우 알고 지낼 만한 친하지 않은 이웃이었지만, 참 올 겨울에 고생이 많다 싶었다.

어느날 아침 나가 보니까 우리집 담 밑에 한 리어카 정도의 흙이 버려져 있었다. 흙이라기보다는 두터운 시멘트 콘크리트 층을 깨뜨려 낸 것이어서 아마 또 뉘 집에서 수도 고치느라고 마당이나 부엌 바닥을 파헤친 모양이었다. 그래도 기분이 언짢았다. 하필 남의 집 담장 밑에 그걸 버릴 게 뭐란 말인가. 축대 높은 집들 중엔 마당이 2백 평은 되는 집도 있고, 안뜰도 없는 데다 막다른 집이어서 흙 한 줌도 자기집 근처에 처리할 수 없는 집도 있었지만, 축대 밑에 버리면 될 텐데 길을 건너 하필 우리집 담장 밑에 버릴 게 뭔가 싶어 생각할수록 이만저만 부아가 나는 게 아니었다.

수도 고칠 때 정작 집주인들한테는 고맙다는 소리 한마디 못 듣고 인부의 말만으로 기꺼이 협조했던 일조차 억울하게 느껴졌다. 그 한 리어카의 흙이 나의 선심에 대한 배신처럼 나를 비웃는 것 같았다.

내가 이렇게 속을 끓이는 것과는 다르게 우리집 식구들의 생각은 훨씬 너그러운 것이었다. 일을 맡은 인부들이 무심히 그랬지 주인이 그렇게 시켰을 리가 있겠느냐는 거였다. 그럴듯도 싶었지만 그렇다면 미안해서라도 그 흙을 빨리 치워야 할 텐데 며칠씩 그대로 놓아둔 뒤로 눈까지 오자 그건 요지부동, 봄이 와

야만 쳐낼 수 밖에 없는 바윗덩이로 얼어붙고 말았다.

드나들 때마다 눈에 거슬리는 그것 때문에 나는 축대 위에 사는 다섯 집을 한꺼번에 미워하면서 겨울을 났다. 그 다섯 집 중 한 집에서 한 짓은 분명한데, 안 다니던 집을 그것이 뉘 집 짓인가를 조사하기 위해 찾아다닐 만큼 극성맞진 못하고, 그저 그 다섯 집을 한 묶음으로 묶어서 미워하는 게 유쾌하진 못한 채로 고작이었다.

겨울이 다 나고 나서 우리집 온수 보일러가 터졌다. 동파가 아니라 연탄 보일러로서의 수명이 다돼서 물이 새기 시작한 것이다. 그것을 갈아내느라고 일꾼을 댄 김에 이것저것 부실한 곳에 손을 보았더니 우리집에서도 한 리어카 정도의 흙덩이 쇠붙이 등이 생겨났다.

이제 날이 풀려서 우리 담장 밑에서 바위처럼 얼어붙었던 흙도 푸실푸실 부드러워졌으니까 사람을 대서 같이 칠 작정으로 그 위에다 우리의 것을 더했다.

흙을 포함한 집수리 후의 그런 폐기물은 매일매일의 연탄재를 수거해가는 청소부 소관이 아니라, 그런 것만 맡아서 치는 인부를 따로 대야 하는 번거로움 때문에 그 후에도 며칠을 그대로 있었다.

어느날 외출을 했다 돌아오면서 보니 우리집 담장 밑의 흙더미가 말끔히 치워져 있는 게 아닌가. 흙만 쳐간 게 아니라 쓰레기까지 깨끗이 해놓아서 골목이 다 훤했다. 집을 보고 있던 파출부에게 누가 치더냐고 물어보았으나 못 보았다는 거였다.

감쪽같이 우리 모르게 거기다 흙을 버렸던 것처럼 또 깜쪽같이 그걸 치운 것이다. 우리가 버린 폐기물까지 합해서. 그런 유의 폐기물은 수거해가면서 상당한 품삯을 요구한다는 걸 알고 있기 때문에, 거저 그걸 친 누구에겐가 우리는 고맙다는 인사를 해야 할 것 같았다. 그러나 뉘 집에서 그걸 쳐주었는지 모르기는 버린 집을 모를 때와 마찬가지였다.

나도 겨우내 뉘 집인 줄도 모르는 채 덮어놓고 이웃을 미워한 걸 뉘우치는 걸로 나의 감사하는 마음을 대신할밖에 없었다. 뉘 집인지는 모르지만 겨우내 우리한테 신세진 걸 그렇게 말없이 갚으려 했던 나의 어떤 이웃처럼.

이웃 간에 미움을 받을 만한 나쁜 사람이 정말 있는 게 아니라 오로지 오해가 있을 뿐이란 생각이 든다. 오해가 높은 담장도 되고 가시울타리도 되어서 이웃 간을 소원하게 만드는 거라면 봄과 함께 그런 오해도 풀려야 할 텐데. 오해라는 게 어디 얼음처럼 저절로 풀려야 말이다.

오해를 풀기 위해선 말이 있어야 할 것 같다. 이웃 간에 말을 방해하는 건 〈제가 모르는 척하는데 뭐가 답답해서 내가 먼저 말을 시켜〉 하는 유치하기 짝이 없는 자존심인데, 보아하니 우리 골목에선 내가 제일 나잇살이나 먹은 것 같으니 내가 먼저 그 유치한 딱지를 떼어야 할까 보다.

까만 손톱

나는 집 밖에서까지
흙장난을 하는 주책을
부리진 않지만
흙장난에 몰두한 아이를
바라보는 게 그렇게
즐거울 수가 없었다.
흙과 자유는 아이를
싱싱하고 생기 있게 한다.

까만 손톱

변두리로 이사하고 나서 시내 나들이가 점점 더 어려워진다. 될 수 있는 대로 안 나가려 든다. 택시 미터로 왕복거리를 계산하면 올림픽의 마라톤 코스가 훨씬 넘으니 끔찍한 생각이 든다. 자연히 꼭 나가 봐야 할 일들을 어느 하루로 모아 한꺼번에 치르게 된다.

일전에도 네 가지쯤의 스케줄을 가지고 시내 나들이를 했다. 이럴 때 우리 아이들은 엄마 새끼줄이 또 꼬이겠다고 놀리기도 하고 걱정도 해준다. 빠듯하게 시간 약속을 해놓고 뛰다 보면 더러 차질도 생기고, 시내 교통편에 따라 아예 약속 하나는 빼먹어야 하는 일도 생기게 마련이다. 그날은 택시도 못 잡아 전철을 타고 시내로 나가다가 문득 손잡이에 매달린 내 손을 보니 손톱이 새까맸다. 다른 한 손을 보아도 마찬가지였다. 가을이

깊어갈 때, 여름에 들인 봉숭아물이 손톱 끝에 그믐달처럼 애절하게 남아 있다면 또 모를까, 새까만 그믐달이라니.

나는 주먹을 쥐고 안절부절을 못했다. 그날 아침 뿌리가 새로 돋아난 바이올렛을 화분에 옮겨 심으면서 흙을 너무 주무른 게 탈이었다. 꽃삽이 있건만도 몇 개 되지 않는 화분을 손질할 때마다 나는 곧잘 손으로 흙을 주무르길 즐긴다. 어느 때는 밀가루 반죽하듯이 괜히 흙장난을 할 때도 있다. 땅 한 평 있을 리 없는 아파트 베란다의 타일 바닥에서 말이다. 화분이 많은 것도 아니고 특별히 까다롭거나 값비싼 희귀종을 기르는 것도 아니다. 물을 주는 것 외엔 따로 신경을 안 쓰다 보니 까다로운 종류는 대개 죽고, 아무데서나 잘 자라는 종류들만 남아서 번성을 하고 있다. 번성하는 대로 화분 수를 늘리려 해도 흙이 없으니까 부엽토를 부대로 사다 놓고 길가나 어린이 놀이터에서 조금씩 파온 모래흙과 적당히 섞어서 내 딴엔 비옥한 흙을 만든다. 그러니까 그날 내 손톱 밑에 낀 건, 결이 곱고 새까만 부엽토였다. 흙을 주무르고 나서 분명히 비누질해 손을 씻었건만도 손톱 밑에 그게 그냥 남아 있는 건 미처 몰랐었다.

어느 책에선가 요절한 전혜린이 손톱 밑이 늘 새까맸었다는 얘기를 읽고 참 멋있었을 거라고 부러워한 적도 있다.

그러나 나는 손톱 밑의 때까지 멋있게 다스릴 줄 아는 멋쟁이가 못 됐다. 그날은 온종일 손톱에만 신경이 쓰여서 뭔 일이 제대로 되질 않았다. 조막손이처럼 온종일 손을 오므리고 다니는 것도 여간 고역이 아니었다. 손 때문에 기가 죽어서 손뿐 아니라 온몸을 오그리고 다녔던 것 같다. 더군다나 오래간만에 만나는 사람이 격의 없이 악수를 청할 때는 오므린 손을 내밀었다가 얼른 빼냈으니 큰 실례가 안됐을까 모르겠다. 이것저것 급한 일을 대강 치르고 친구들과 점심을 약속한 시간이 되었다. 친구들에게야 진상을 얘기하고 손톱을 좀 폈으면 좋았으련만 내 성품이 워낙 옹졸해서 그러지도 못하고 시간 여유가 생긴 김에 슬쩍 화장실로 갔다. 손을 씻으면서 옷핀으로 하나하나 손톱 밑을 후벼파니까 조금 나아지긴 했지만 아주 깨끗해지진 않았다.

그 후 원예책을 보고 안 건데 시중에서 파는 부엽토엔 많은 세균이 들끓으니 바이올렛처럼 저항력이 약한 화초에는 살균을 해서 써야 한다는 것이었다. 그러니 부엽토를 주무른다는 건 손톱의 미관상뿐 아니라 위생적 이유로도 삼가야 할 일이었다. 그러나 나는 여전히 흙 주무르는 일을 즐기고 있다. 글을 쓰다가도 막히면 뜰에 나가 서성이던 단독주택에 살 때의 버릇으로 베란다에 나가서 괜히 화분의 흙을 찔러도 보고, 곁포기를 따내서 새 화분에 심기도 하고, 영양 부족으로 보이는 화분의 흙을 반쯤 덜어내고 부엽토로 채워주기도 한다.

그런 일들은 손으로 해야 기분이 좋고, 또 손으로 하는 게 화초에 대한 내 나름의 애정 표시라는 묘한 생각을 가지고 있다. 마치 콩나물은 손끝으로 조물락조물락 무쳐야 제 맛이 나지 고무장갑 낀 손이나 젓가락 끝으로 무친다는 건 먹는 사람에 대한 애정 없음과 진배없어서 입맛 떨어진다는 편견과도 같다.

이런저런 까닭 없이도 흙을 만지고 싶은 건 거의 인간본능이 아닐까. 시집간 딸이 아이를 데리고 오면 내가 귀여운 외손자를 위해 해줄 수 있는 가장 좋은 일도 그 녀석을 데리고 나가 마냥 흙장난을 시키는 일이다. 내가 아이를 데리고 나갔다 오면 흙투성이 아이를 목욕시키고 옷을 몽땅 갈아입혀야 하기 때문에 제에미는 집 안에서 놀길 바라지만 아이와 나는 벌써 이심전심으로 통하는 게 있어 서로 눈을 맞추고는 아파트를 빠져나간다.

집 안에서 아이를 놀리려면 이것저것 만지면 안된다고 치우고 주의 줘야 할 것도 많지만 단지(團地) 공터에 아이를 데려다 놓으면 전혀 그럴 필요가 없다. 장난감 없이 흙과 돌과 풀만 가지고도 아이는 지루한 줄 모르고 논다. 아이에게 집 안엔 없는 자유가 주어졌기 때문일 게다.

나는 집 밖에서까지 흙장난을 하는 주책을 부리진 않지만 흙장난에 몰두한 아이를 바라보는 게 그렇게 즐거울 수가 없었다. 흙과 자유는 아이를 싱싱하고 생기 있게 한다.

집 안에서 장난감이나 그림책 가지고 놀 때하곤 딴판의 빛나는 생기다. 아이는 곧 신발짝을 여기저기 벗어던지고 맨발로 놀지만 나는 구태여 신발을 신기려 들지 않는다. 아이의 흙 묻은 땅 위에 서 있는 토실토실한 두 다리가 마치 어린 나무처럼 보기 좋아서이다. 어린 나무가 열심히 땅의 정기를 빨아올리듯이 나의 손자도 땅의 굳셈과 정직함과 늠름함을 그 실한 다리로 빨아들이는 것 같아서이다.

흙장난을 아이는 얼마나 좋아하는지 장난감 없이도 심심한 줄을 모를 뿐더러 배가 고픈 것도 모른다. 너무 오래 놀면 허기가 질 것 같아 억지로 달래 집으로 데리고 들어오면 아이의 꼴이 말이 아니다. 제 에미는 기겁을 해서 우선 옷을 벗기고 목욕탕으로 데리고 들어간다. 벗어놓은 아이의 옷에선 흙이 우수수한 바가지나 떨어진다. 씻고 나온 아이가 얼마나 생기 있어졌는지도, 그 생기가 흙에서 빨아들인 생기라는 것도 아마 저희 에미는 모르리라.

흙장난을 하고 난 아이는 먹기도 잘 먹는다. 왕성하게 먹고 나서 낮잠을 자는 아이를 보면 손톱 밑이 새까맣다. 저희 에미가 그렇게 극성맞게 씻겼건만도 거기까진 미처 눈이 안 미친 모양이다. 눈에 넣어도 아프지 않을 것처럼 귀여운 손자의 짓이라 까만 손톱도 예뻐만 보였지만 저희 에미 눈엔 우글대는 세균 덩어리로 보일 것이 뻔해서 얼른 손톱깎이로 아이의 손톱을 깎아주었다. 아이의 손톱은 잘 때 깎아주는 게 가장 안전하다.

나와 내 손자가 그렇게 좋아하는 단지 앞 공터에 요새 건축붐이 일고 있다. 앞으론 어디서 녀석의 발에 흙을 묻혀줄 것인가.

노상 방뇨와 비로드 치마

방뇨를 계속하는 동안의
그녀는 행인 중의
제아무리 성장한
여인보다도, 제아무리
젊은 여인보다도
아름답고 싱싱했다.
정말이지 그동안의
그녀는 이 번화가에서도
으뜸가게 압도적으로
아름다워 나는 숨을
죽이고 짜릿한
긴장감으로
그녀를 선망했다.

노상 방뇨와 비로드 치마

　오늘 한낮의 일이다. 을지로 입구에서 미도파 조금 못 미쳐 어떤 은행 앞이었던가. 토요일 한낮의 번화가는 시끌시끌하기도 하고 즐거움 같은 게 부글부글 거품을 내고 있는 것 같기도 했다. 날씨는 전형적인 초봄의 날씨, 볕은 따스해 찬바람은 속살로만 기어들어 오히려 겨울보다 더 추운 데도 얇고 화사한 옷이 좋아보이고 겨울옷은 공연히 궁상스러워보이는 그런 날이었다.

　내 앞을 허름한 스웨터에 사시사철 입을 수 있을 것 같은 구럭 같은 국방색 몸빼를 입은 여자가 함석 양동이를 이고 걸어가고 있었다. 은행 앞에서 별안간 그 여자는 함석 양동이를 길바닥에 내던지듯이 내려놓더니 부랴부랴 몸빼를 내리고 엉덩이를 까더니 오줌을 누는 게 아닌가.

사십은 훨씬 넘었을 듯한 그 여자는 얼굴을 번듯이 쳐들고 시선을 건너편 빌딩 꼭대기쯤에 고정시키고 시원스레 용무를 치르는데 그 표정이 그렇게 당당할 수가 없었다. 하긴 노상에서 방뇨를 하는 사람의 표정이 어떤 것인지를 나는 아직 본 적이 없다. 간혹 뒷골목 같은 데서 남자들이 방뇨를 하는 것을 못 본 것은 아니지만, 모두 뒷모양뿐이지 설마 앞으로 서서 방뇨를 하는 남자는 없었으니까.

그렇지만 여자가 벽 쪽으로 돌아앉아 궁둥이를 행인에게 돌리고 방뇨를 했더라면 그 모습은 또 얼마나 가관이었을까. 결국 여자가 노상에서 방뇨를 하려면 그 여자처럼 그렇게 번듯이 앉아 그렇게 고개를 쳐들 수밖에 없었던 것이다.

바로 코앞에 미도파가 있고, 시대 백화점, KAL 빌딩 등 깨끗한 수세식 변소를 갖춘 건물들이 보인다. 그 여자는 아마 그것을 몰랐거나, 아니면 그렇게도 용무가 다급했던 모양이다.

그렇지만 지금이 어느 때라고…… 혹 아니꼬운 꼴이 눈에 띄어 가래침이라도 뱉어줄까 보다고 「카악」하고 시원스레 목젖만 울려놓고는, 「에구구 5천원짜리 가래침이지」하며 꼴깍 삼켜야 하고, 길 가다 예전에 있었던 우스운 생각이 떠올라 혼자 빙글대다가도 혹 하늘 보고 웃는 세금이란 건 없었던가 수많은 세금 종목을 생각하느라 우울해져 표정이 우거지상이 돼야 하고 이렇게 잔뜩 주눅이 들어 있는 판에, 이 대낮의 대로상 방뇨는 대사건이 아닐 수 없었다.

노상 방뇨와 비로드 치마

그러나 그 여자는 어디까지나 태연자약했다. 고개를 당당히 쳐들고 방심한 듯, 열중한 듯, 황홀한 듯, 행복한 듯.

방뇨를 계속하는 동안의 그녀는 행인 중의 제아무리 성장한 여인보다도, 제아무리 젊은 여인보다도 아름답고 싱싱했다. 정말이지 그동안의 그녀는 이 번화가에서도 으뜸가게 압도적으로 아름다워 나는 숨을 죽이고 짜릿한 긴장감으로 그녀를 선망했다.

딴 행인들도 그랬을 것이다. 나처럼 서서 구경하지는 않았지만 곁눈으로 슬쩍 보기만 하고도 이내 즐거운 듯 부러운 듯 밝은 미소를 짓고는 또 한 번 곁눈질을 하는 게 기막힌 미인에게 던지는 추파와 무엇이 다른가.

다행히 아무 일도 일어나지 않은 채 그녀의 노상 방뇨는 무사히 끝났다. 그녀는 다시 구지레하고 평범한 여인이 되어 양동이를 이고 유유히 사람들 틈으로 사라져갔다.

참, 범법(犯法)의 목격치고는 유쾌한 목격이었다.

그렇다고 나라는 위인이 특별히 공중도덕을 우습게 안다든가 사소한 범법행위쯤 남의 눈만 없다면 예사로 해치울 배짱이 있느냐 하면 그렇지도 못할 뿐더러 오히려 신경질적이리만치 그 방면에 까다로워 어딜 가나 그런 것을 지키랴, 안 지키는 사람 때문에 속을 썩이랴, 적잖이 신경을 곤두세우고 피곤하게 사는 편이다.

그러나 그것은 어디까지나 나 자신의 도덕적인 결백성의 문제지 외부로부터의 규제는 아니었다. 도리어 요새 하도 많은 법이 생겨 일상사에 사소한 문제까지 꼼꼼하게 규제를 하려 들자, 가뜩이나 소심한 나는 잔뜩 주눅이 들어 있다가 그 반작용으로 길에서 방뇨하는 여인에게 그토록 찬탄을 보내게 되었는지도 모르겠다.

사람의 마음속엔 이런 용수철 같은 게 있는 법이다. 이 용수철이 엉뚱한 방향으로 튀어오르지 않게 법의 규제에도 묘미가 있어야지 미련해서는 안되겠다. 그중에도 미니 스커트나 장발족 단속은 좀 어떨까 싶다. 젊은이들의 옷이나 머리란 어차피 길어졌다 짧아졌다 하게 마련이 아닐까? 나이 사십에 꽤 많은 유행의 변천을 봐왔지만 그중에도 미니 스커트는 유쾌한 유행이었는데.

내가 겪은 유행 중 가장 추악한 유행은 아마 6·25사변 중 유행한 비로드 치마가 아닌가 싶다. 모든 산업시설이 파괴돼 무명한 치 못 짜내는 주제에 어쩌자고 일제 밀수품인 그 값비싸고 사치한 옷감이 그렇게도 극성맞게 유행을 했었는지.

검정 비로드 치마 한 벌이면 여름 겨울 없이 입을 수 있는 특급의 나들이옷이었으니 한번 장만하기가 힘들어서 그렇지 장만만 해놓으면 경제적인 면도 없지는 않았지만 말이다.

그런데 이 비로드라는 게 털이 눌리면 번들번들 그 자국이 여간 흉하지가 않았고 다려도 안 펴지고, 그렇다고 빨면 통째로 감을 망치게 되는 통에 그 치마를 입고 앉을 때가 큰 문제였다.

노상 방뇨와 비로드 치마

의자, 특히 버스나 전차에서 좌석에 앉을 때는 실로 가관이었다. 빈자리가 났다 하면 우선 치마 뒷자락을 번쩍 치키고 속치마나 내복 바람의 궁둥이를 거침없이 들이댄다. 그런데 그 속치마나 내복이 또 문제였다.

그런 것의 국내생산이 전연 없을 때라 상급의 내복이란 게 양키 시장에서 산 미군의 헌 군용 내복이 고작이었다. 내복의 남녀 구별 같은 것도 따질 때가 아니었다.

상상만 해보아라. 꾸깃꾸깃 때묻은 인조 속치마가 아니면 구럭 같은 군용 내복을 무릎까지 걷어올려 고무줄로 동이고 양말이라고 신은 모습을 거침없이 보이며 아무데나 쑥쑥 궁둥이를 들이대는 처녀들을. 내 기억으로뿐만 아니라 아마 우리나라 4천년 역사 중에서도 가장 여자가 추악하고 파렴치했던 때로 꼽히리라.

그래도 그때에도 남녀간에 연애라는 게 있었던 걸 생각하면 신기하다. 황순원의 소설이었던가, 애인의 웃는 얼굴, 이 사이에 낀 고춧가루 때문에 파탄에 이르른 연인 이야기가 있다.

남녀의 문제란 이렇게 섬세 미묘한 것이거늘, 그때 그 낯가죽 두꺼운 비로드 치마 아가씨에게도 연인이 있었으니 치사하고도 영원한 문제가 또한 남녀 문제이리라.

화로를 인 여인

어머니에게 불은
신성한 그 무엇이었다.
재물과 활력의
상징이었다. 그래서
화롯불만은
리어카에 절대로
싣지 않고 손수 이고
가셨고, 또 새 집에
어떤 이삿짐보다 앞서
당도해야 했다.
복중에 이사를 해도
어머니는 이 신성한
의무를 거르지 않았다.

화로를 인 여인

요샌 일기예보가 참 잘 맞는다. 특히 주말예보가 잘 맞아 야외 나들이 계획을 세우는 데 많은 도움을 주고 있다.

이사가기로 한 날도 일요일인데 가랑비가 뿌릴 거라는 예보였다. 그러나 야외놀이처럼 간단히 계획을 바꿀 수는 없었다. 우리가 판 집으로 그날 당장 주인이 들어오는 건 아니었지만 친정어머니가 손 없는 날이라고 받아주신 날을 일기예보 때문에 바꾼다는 건 경망스리운 것 같기도 하고, 지나치게 현대적인 깃 같기도 했다. 짐을 미리 다 싸놓은 것도 문제였다.

이사가기 전날 밤은 빗소리가 나나 않나나 귀를 기울이느라 잠도 제대로 못 잤다. 비 올까 봐 잠 못 이루기는 국민학교 적 소풍 전날 밤과 흡사했지만 그 기분은 사뭇 달랐다.

〈나직하고 그윽하게 들리는 소리 있어 나아가 보니, 아아 나아가 보니……〉로 시작되는 이슬비를 노래한 시처럼 나직하고 그윽하게 빗소리가 나는 것도 같고 안 나는 것도 같았다. 날 밝기 전 창 밖으로 손을 내밀어봐도 비가 오는 것도 같고, 다만 공기 중에 습도가 높은 것도 같았다. 일기예보는 전국적으로 가랑비가 내리고 있으나 오후부터는 개일 거라고 했다. 반가운 소식이었다. 바로 이웃동네로 가는 이사니 오후에 떠나도 늦을 건 없었다. 우리는 천천히 준비를 하면서도 고개가 삐뚤어진 것처럼 연방 하늘만 쳐다봤다. 우리는 일기예보에서 말한 오후를 문자 그대로 정오가 지난 즉시로 생각하고 싶었다. 그러나 그게 아니었다. 12시가 지나자 나직하고 그윽하게 오던 비가 소리내어 오기 시작했다. 그땐 벌써 이삿짐센터에서 와 있을 땐데도 이사를 연기하자는 의견이 나왔다. 연기할 것인가 강행할 것인가를 마지막으로 결정해준 것은 가장이나 주부의 권위도 이삿짐센터의 투정도 친정어머니의 손 없는 날도 아니었다. 우리는 오후에 비가 개일 것이란 일기예보를 철석같이 믿고 이미 아파트 관리실에 부탁해서 가스 레인지를 떼고 가스 파이프를 굳게 봉인한 뒤였다. 하루를 더 머물러도 가스 없이는 곤란했다. 전기제품도 약간은 있었지만 이미 이삿짐 속에 깊이 포장되어 우리는 차 한잔을 끓여마실 재간이 없었다. 그걸 핑계로 이사를 강행하기로 했다.

그럭저럭 새 집에다 짐을 내린 시간은 오후 4시 가까운 시간이었고 그 무렵에야 겨우 비가 멎었다. 우리 식구도 그랬지만 이사를 거들어준 친척이나 아들의 친구들도 배가 고프다고 아우성치기 시작했다. 새 집에선 밥만 새로 짓기로 하고 국과 반찬을 미리 마련해왔기 때문에 잠깐만 기다리면 진수성찬을 차려주겠다고 큰소리를 쳤다. 그러나 새 집 역시 아파트였기 때문에 가스 연결이 문제였다. 제일 늦게 썼고, 제일 먼저 가져온 가스 레인지였지만 연결을 하려면 관리실 사람을 불러야 하는데 말만 곧 간다고 하고 와주질 않았다. 아무리 급하게 아우성을 치고 화를 내도 소용이 없었다. 우리는 야외놀이할 때처럼 마련한 푸짐하고 즐거운 점심식사를 단념하고 중국음식점에다 자장면을 시켰다. 우선 요기라도 하고 기다려야지 허기가 져서 견딜 수가 없었다.

우리를 도와주러 온 사람들이 급하게 허기진 배를 채우느라 입가에 자장면 테를 두른 걸 보면서 문득 예전에 하던 이사 생각이 나서 가슴이 뭉클해졌다.

어렸을 때 우리집은 이사를 자주 다녔다. 서울에 와서 처음 몇 년간은 셋방살이를 했기 때문에 그랬을 것이다. 이삿짐은 초라했고 한 리어카밖에 안되었다. 지금까지도 안 잊혀지는 긴 리어카꾼보다 저만치 앞서서 길을 인도하는 어머니의 모습이다. 이사갈 때마다 어머니는 머리에다 화로를 이고 앞서가셨다. 여름이건 겨울이건 상관없었다. 이사가는 날이면 아침부터 풍로에다 참숯을 이글이글 피워서 그걸 화로에 옮겨 담아서 그렇게 손수 이고 가셨다. 그때만 해도 불씨를 꺼뜨리면 쫓겨나는 시대

는 이미 아니어서 끼니 때마다 장작이나 숯불을 피워서 썼건만
도 어머니에게 불은 신성한 그 무엇이었다. 재물과 활력의 상징
이었다. 그래서 화롯불만은 리어카에 절대로 싣지 않고 손수 이
고 가셨고, 또 새 집에 어떤 이삿짐보다 앞서 당도해야 했다. 복
중에 이사를 해도 어머니는 이 신성한 의무를 거르지 않았다.
뙤약볕에 땀을 뻘뻘 흘리며 불화로를 이고 가는 어머니는 극성
스럽다 못해 괴기해보이기까지 했다.

어린 마음에 그런 어머니가 얼마나 창피했는지 모른다. 초라
한 단칸방에다 불화로를 내려놓고 불씨가 죽지 않은 걸 확인하
고 나서「그저 불 일어나듯 하십소서, 그저 불 일어나듯 하십소
서」하는 덕담을 할 때쯤이면 리어카꾼이 당도했다.

어머니가 그렇게 간절히 재복을 빈 보람이 있었던지 서울살
이 몇 년 만에 우린 처음으로 집을 장만하게 되어 그 집으로 이
사를 가는 날이었다. 그때는 이삿짐도 늘었고, 축하 겸 도와주
러 와준 친척도 몇 명 있었다. 그래도 어머니가 불화로를 이고
앞장서 가는 데는 변함이 없었다. 그때 불화로를 인 어머니는
어찌나 자랑스럽고 당당했던지, 나는 그 후에도 올림픽 성화
(聖火)를 받든 주자만 보면 그때의 어머니를 떠올리곤 한다.

처음 장만한 집으로 이사간 날 어머니는 불화로를 내려놓고
덕담만 하신 게 아니라 그 불을 불씨로 해서 부엌 아궁이에다
장작불을 지피시더니 팥죽을 한 솥 쑤셨다. 미리 준비해간 찹쌀
옹시래미가 동실동실 뜬 팥죽은 식구들이나 일꾼뿐만 아니라

새로운 이웃집들까지 실컷 먹을 수 있도록 넉넉히 쑤었다. 잘 생각나진 않지만 그때 우리들도 오늘밤의 자장면 테 비슷한 팥죽 테를 입가에 두르고 있지 않았나 싶다.

이사가는 날 화로가 먼저 들어가야 재수가 있다느니, 팥죽을 쑤어 고사를 지내야 새로운 터줏대감의 동티를 막을 수 있다느니 하는 생각은 비단 우리집만의 풍속이 아니라 당시 꽤 널리 퍼졌던 민간신앙이었지 않나 싶다. 딴 집이 이사할 때도 종종 팥죽을 얻어먹은 생각이 난다.

결혼하고 들어간 시댁은 종로 5가였다. 거기서 10년쯤 살다가 신설동으로 이사할 때였다. 그때는 이미 숯불이나 장작불보다는 연탄불이 널리 쓰일 때였다. 8월 말에 이사를 하는데 시어머님이 굳이 연탄화덕을 당신이 들고 가시겠다고 우기셨다. 그때만 해도 쏘시개탄이라는 것도 없었고 프로판가스도 보급이 안됐을 때라 연탄불의 불씨를 꺼뜨리지 않고 가지고 간다는 것은 미신적인 이유를 빼고도 매우 중요한 일이었다. 그렇지만 그걸 굳이 들고갈 까닭은 없었다. 이삿짐을 싣는 트럭에 얼마든지 안전하게 실을 수 있는데도 시어머님은 꼭 당신이 들고 가실 것을 주장하셨다. 나는 친정어머니가 이고 가시던 화롯불 생각이 나서 그걸 말리지 않았다. 시어머님은 당시의 전차 세 정거장 거리를 그 무거운 연탄화덕을 혼자 들고 걸어가셨다.

올림픽의 성화주자처럼 자랑스럽고 당당하게.

꼴찌에게 보내는 갈채

파인 플레이가
귀해지는 건 비단
운동 경기 분야뿐일까.
사람이 살면서
부딪치는 타인과의
각종 경쟁,
심지어는 의견의
차이에서 오는 사소한
언쟁에서까지 그 다툼의
당당함, 깨끗함,
아름다움이 점점
사라져가는 느낌이다.

꼴찌에게 보내는 갈채

가끔 별난 충동을 느낄 때가 있다. 목청껏 소리를 지르고 손뼉을 치고 싶은 충동 같은 것 말이다. 마음속 깊숙이 잠재한 환호(歡呼)에의 갈망 같은 게 이런 충동을 느끼게 하는지도 모르겠다.

그러나 요샌 좀처럼 이런 갈망을 풀 기회가 없다. 환호가 아니라도 좋으니 속이 후련하게 박장대소라도 할 기회나마 거의 없다.

의례적인 미소 아니면 조소, 냉소, 고소가 고작이다. 이러다가 얼굴 모양까지 얄궂게 일그러질 것 같아 겁이 났다.

환호하고픈 갈망을 가장 속시원히 풀 수 있는 기회는 뭐니뭐니 해도 잘 싸우는 운동 경기를 볼 때가 아닌가 싶다. 특히 국제 경기에서 우리편이 이기는 걸 TV를 통해서나마 볼 때면 그렇게 신이 날 수가 없다.

그러나 곰곰이 생각해보니 그런 일로 신이 나서 마음껏 환성을 지를 수 있었던 기억도 아득하다. 아마 박신자(朴信子) 선수가 한창 스타 플레이어였을 적, 여자 농구를 볼 때면 그렇게 신이 났고, 그렇게 즐거웠고, 다 보고 나선 그렇게 속이 후련했던 것 같다.

요즈음은 내가 그 방면에 무관심해져서 모르고 있는지는 모르지만 그때처럼 우리를 흥분시키고 자랑스럽게 해주는 국제 경기도 없는 것 같다.

지는 것까지는 또 좋은데 지고 나서 구정물 같은 후문(後聞)에 귀를 적셔야 하는 고역까지 겪다 보면 운동 경기에 대한 순수한 애정마저 식게 된다.

이렇게 점점 파인 플레이가 귀해지는 건 비단 운동 경기 분야뿐일까. 사람이 살면서 부딪치는 타인과의 각종 경쟁, 심지어는 의견의 차이에서 오는 사소한 언쟁에서까지 그 다툼의 당당함, 깨끗함, 아름다움이 점점 사라져가는 느낌이다.

그래서 아무리 눈에 불을 밝히고 찾아도 내부에 가둔 환호와 갈채(喝采)에의 충동을 발산할 고장을 못 찾는지도 모르겠다.

요전에 시내에 나갔다가 집으로 돌아올 때의 일이다. 집엘다 와서 버스가 정류장 못 미쳐 서서 도무지 움직이지를 않았다. 고장인가 했더니 그게 아닌 모양이었다. 앞에도 여러 대의 버스가 밀려 있었고 버스뿐 아니라 모든 차량이 땅에 붙어버린 듯이 꼼짝을 못하고 있었다.

나는 그날 아침부터 괜히 걷잡을 수 없이 우울해 있었다. 그래서 버스가 정거장도 아닌데 서 있다는 사실을 참을 수가 없었다.

「언제까지 이러고 있을 거요?」

나는 부끄럽게도 안내양에게 짜증을 부렸다. 마치 이 보잘것없는 소녀의 심술에 의해서 이 거리의 온갖 차량이 땅에 붙어버리기라도 했다는 듯이. 그러나 안내양은 탓하지 않고 시들하게 말했다.

「아마 마라톤이 끝날 때까진 못 갈려나 봐요.」

「뭐 마라톤?」

그러니까 저 앞 고대에서 신설동으로 나오는 삼거리쯤에서 교통이 차단된 모양이고 그 삼거리를 마라톤의 선두주자가 달려오리라. 마라톤의 선두주자! 생각만 해도 우울하게 죽어 있던 내 온몸의 세포가 진저리를 치면서 생생하게 살아나는 것 같았다. 나는 그 선두주자를 꼭 보고 싶었다. 아니 꼭 봐야만 했다.

나는 차비를 내고 나서 내려달라고 했다. 안내양이 정류장이 아니기 때문에 안된다고 했다. 나는 마음이 급한 김에 어느 틈에 안내양에게 시비를 걸고 있었다.

「정류장이 아니기 때문에 못 내려주겠다구? 그럼 정류장도 아닌데 왜 섰니? 응 왜 섰어?」

「이 아주머니가, 정말 —」

안내양은 나를 험상궂게 째려보더니 휙 돌아서서 바깥을 내다보며 상대도 안했다.

그래도 나는 선두로 달려오는 마라토너를 보고 싶다는 갈망을 단념할 수가 없었다. 나는 짐짓, 발을 동동 구르며 다시 안내양의 어깨를 쳤다.

「아가씨, 내가 화장실이 급해서 그러니 잠깐만 문을 열어줘요, 응.」

「아주머니도 진작 그러시지, 신경질 먼저 부리면 어떡해요.」

안내양은 마음씨 좋은 여자였다. 문을 빠끔히 열고 먼저 자기 고개를 내밀어 이쪽 저쪽을 휘휘 살피더니 재빨리 내 등을 길바닥으로 떠다밀어 주었다.

나는 치마를 펄럭이며 삼거리 쪽으로 달렸다. 삼거리엔 인파가 겹겹이 진을 치고 있으리라. 그 인파는 저만치서 그 모습을 드러낸 선두주자를 향해 폭죽 같은 환호를 터뜨리리라.

아아, 신나라. 오늘 나는 얼마나 재수가 좋은가. 오랫동안 가두었던 환호를 터뜨릴 수 있으니. 군중의 환호, 자기 개인적인 이해관계와 전혀 상관없는 환호, 그 자체의 파열인 군중의 환호에 귀청을 떨 수 있으니.

잘하면 나는 겹겹의 군중을 뚫고 그 맨 앞으로 나설 수도 있으리라. 그러면 제일 큰 환성을 지르고 제일 큰 박수를 쳐야지. 나는 삼거리 쪽으로 달음질치며 나의 내부에서 거대한 환호가 삼거리까지 갈 동안을 미처 못 참고 웅성웅성 아우성을 치고 있는 것처럼 느꼈다.

그러나 숨을 헐떡이며 당도한 삼거리에 군중은 없었다.

할 일이 없어 여기 이렇게 빈둥거리고 있을 뿐이라는 듯 곧 하품이라도 할 것 같은 남자가 여남은 명 그리고 장난꾸러기 애녀석들이 대여섯 명 모여 있을 뿐이었고 아무데서고 마라토너가 나타나기 직전의 흥분은 엿뵈지 않았다.

그러나 여전히 호루라기를 입에 문 순경은 차량의 통행을 금하고 있었다. 세 갈래 길에서 밀리고 밀린 채 기다리다 지친 차량들이 짜증스러운 듯이 부릉부릉 이상한 소리를 내며 바퀴를 조금씩 들먹이는 게 곧 삼거리의 중심을 향해 맹렬히 돌진할 것처럼 보이고 그럴 때마다 순경은 날카롭게 후루라기를 불어댔다. 그때 나는 내가 전혀 예기치 않던 방향에서 쏟아지는 환호소리를 들었다. 그것은 내 뒤쪽 조그만 라디오방 스피커에서 나는 환호 소리였다.

선두주자가 드디어 결승점 전방 10m, 5m, 4m, 3m, 골인! 하는 아나운서의 숨막히는 소리가 들리고 군중의 우레와 같은 환호성이 들렸다.

비로소 1등을 한 마라토너는 이미 이 삼거리를 지난 지가 오래라는 걸 알 수 있었다. 이 삼거리에서 골인 지점까지는 몇 킬로나 되는지 자세히는 몰라도 상당한 거리다. 그런데도 아직까지 통행이 금지된 걸 보면 후속주자들이 남은 모양이다. 꼴찌에 가까운 주자들이.

그러자 나는 고만 맥이 빠졌다. 나는 영광의 승리자의 얼굴을 보고 싶었던 것이지 비참한 꼴찌의 얼굴을 보고 싶었던 건 아니었다.

또 차들이 부르릉대며 들먹이기 시작했다. 차들도 기다리기가 지루해서 짜증을 내고 있었다. 다시 날카로운 호루라기 소리가 들리고 저만치서 푸른 유니폼을 입은 마라토너가 나타났다.

삼거리를 지켜보고 있던 여남은 명의 구경꾼조차 라디오방으로 몰려 우승자의 골인 광경, 세운 기록 등에 귀를 기울이느라 아무도 그에게 관심을 갖지 않았다. 나도 무감동하게 푸른 유니폼이 가까이 오는 것을 바라보면서 저 사람은 몇 등쯤일까? 20등? 30등? ―저 사람이 세운 기록도 누가 자세히 기록이나 해줄까? 대강 이런 생각을 했다. 그리고 그 20등, 아니면 30등의 선수가 조금쯤 우습고, 조금쯤 불쌍하다고 생각했다.

푸른 마라토너는 점점 더 나와 가까워졌다. 드디어 나는 그의 표정을 볼 수 있었다.

나는 그런 표정을 생전 처음 보는 것처럼 느꼈다. 여직껏 그렇게 정직하게 고통스러운 얼굴을, 그렇게 정직하게 고독한 얼굴을 본 적이 없다. 가슴이 뭉클하더니 심하게 두근거렸다. 그는 20등, 30등을 초월해서 위대해보였다. 지금 모든 환호와 영광은 우승자에게 있고 그는 환호 없이 달릴 수 있기에 위대해보였다.

나는 그를 위해 뭔가 하지 않으면 안된다고 생각했다. 왜냐하면 내가 좀 전에 그의 20등, 30등을 우습고 불쌍하다고 생각했던 것처럼 그도 자기의 20등, 30등을 우습고 불쌍하다고 생각하면서 옜다 모르겠다 하고 그 자리에 주저앉아 버리면 어쩌나 그래서 내가 그걸 보게 되면 어쩌나 싶어서였다.

어떡하든 그가 그의 20등, 30등을 우습고 불쌍하다고 느끼지 말아야지 느끼기만 하면 그는 당장 주저앉게 돼 있었다. 그는 지금 그가 괴롭고 고독하지만 위대하다는 걸 알아야 했다.

나는 용감하게 인도에서 차도로 뛰어내리며 그를 향해 열렬한 박수를 보내며 환성을 질렀다.

나는 그가 주저앉는 걸 보면 안되었다. 나는 그가 주저앉는 걸 봄으로써 내가 주저앉고 말 듯한 어떤 미신적인 연대감마저 느끼며 실로 열렬하고도 우렁찬 환영을 했다.

내 고독한 환호에 딴 사람들도 합세를 해주었다. 푸른 마라토너 뒤에도 또 그 뒤에도 주자는 잇달았다. 꼴찌주자까지를 그렇게 열렬하게 성원하고 나니 손바닥이 붉게 부풀어올라 있었다.

그러나 뜻밖의 장소에서 환호하고픈 오랜 갈망을 마음껏 풀 수 있었던 내 몸은 날 듯이 가벼웠다.

그 전까지만 해도 나는 마라톤이란 매력 없는 우직한 스포츠라고밖에 생각 안했었다. 그러나 앞으론 그것을 좀더 좋아하게 될 것 같다. 그것이 조금도 속임수가 용납 안되는 정직한 운동이기 때문에.

또 끝까지 달려서 골인한 꼴찌주자도 좋아하게 될 것 같다. 그 무서운 고통과 고독을 이긴 의지력 때문에.

나는 아직 그 무서운 고통과 고독의 참뜻을 알고 있지 못하다.

왜 그들이 그들의 체력으로 할 수 있는 하고많은 일들 중에서 그 일을 택했을까 의아스럽기까지 하다.

그러나 그날 내가 20등, 30등에서 꼴찌주자에게까지 보낸 열심스러운 박수갈채는 몇 년 전 박신자 선수한테 보낸 환호만큼이나 신나는 것이었고, 더 깊이 감동스러운 것이었고, 더 육친애적인 것이었고, 전혀 새로운 희열을 동반한 것이었다.

소멸과 생성의 수수께끼

생명이 소멸돼갈
때일수록 막 움튼
생명과 아름답게
어울린다는 건
무슨 조화일까?
생명은 덧없이
소멸되는 게 아니라
영원히 이어진다고
믿고 싶은 마음
때문일까?

소멸과 생성의 수수께끼

노인들을 보고 있으면 슬퍼진다. 외롭거나 불쌍한 노인이 아니더라도 마찬가지다.

나도 늙어가고 있고 곧 노인 소리를 듣게 되리라는 걸 어쩔 수 없이 그리고 자주 의식하게 되고부터인 것 같다.

행복한 노인도 슬프긴 마찬가지다. 관광여행이나 장수무대 등에 나와 활짝 웃는 노인을 보면 더욱 슬퍼진다. 노인들이 너무 천진해서, 그리고 그분들의 행복이 일시적이고 어딘지 내보이기 위해 과장된 것처럼 보이는 게 슬프다.

텔레비전 화면 같은 데 그런 노인들이 나와 웃고 춤출 때마다 나는 외면하거나 텔레비전을 꺼버린다.

「보기 싫어, 꺼버려.」

나는 아이들에게 악을 쓴다. 슬프다고 말하면 아이들이 웃을 것 같다. 아니 못 알아들을 것 같다.

문자 그대로 세계 정상의 권세와 지위를 가진 노인도 보기 싫도록 슬프긴 마찬가지다. 그가 연설할 때도 나는 외친다.

「그 노인 보기 싫어, 꺼버려.」

세계적인 권세도 부귀도 뺨에서 목으로 흐르는 칠십노인다운 처량한 선을 지울 수 없음이 슬프다.

노인을 보면 슬퍼지고부터는 사진 찍기가 싫다. 공개되어야 할 사진을 찍기는 더욱 싫다. 두렵기조차 하다.

그러나 내가 진정으로 두려워하는 건 지금 사진 찍는 일이 아니라, 어느날, 정말로 늙고 망령들어 사진 찍기를 좋아하고 어디든지 나서고 싶어하게 되는 일이다.

그래서 지금부터 아이들에게 한사코 말려야 한다고.

나이보다 젊게 사는 노인을 보는 것도 슬프다.

우리 동네엔 아주 잘 지은 노인정이 있다. 정자같이 생긴 이층누각이고 둘레엔 계절따라 꽃이 피고 진다.

남 보이기 위해 지어놓은 노인정만은 아닌 듯 늘 노인들이 드나들고 어떤 때는 그 속에서 장구 소리가 날 때도 있다.

어느날, 나는 꽃밭을 헤치고 그 안에까지 들어가 보았다.

마침 어디로 단체 나들이라도 떠나시려는지 여자 노인들이 여러분 모여서 떠들고 있었다. 여자 노인이라면 마땅히 노파라고 불러야 옳으리라.

그러나 웬걸.

입은 옷들이 최신식의 양장에 울긋불긋 화려하기가 젊은 여자들의 명동거리 계모임과 흡사했고, 머리는 한결같이 염색한 커트였고, 입술은 꽃잎처럼 붉었고, 향수 냄새가 현기증이 나게 짙었다.

카세트로 최신 유행곡을 들으며 어떤 노인은 하이힐 굽으로 콩콩 양회바닥을 구르며 장단을 맞추고 있었다.

이렇게 적극적으로 젊게 사는 노인들 역시 슬퍼보였다. 나는 너무 슬퍼서 숨도 크게 못 쉬고 가만가만히 그곳을 도망쳐 나왔다.

양로원엘 딱 한 번 가본 일이 있다. 시어머님이 돌아가시고 나서 유품을 정리하다 보니 한 번도 안 입으신 새 옷이 꽤 많았다. 그렇다고 내가 그분에게 철철이 옷을 많이 해드린 건 아니었다. 말년에 외출을 못하고 들어앉아 계신 후부턴 거의 새 옷을 안해드렸다.

그분은 낡은 헌옷만 입으셨고, 그나마 잘 안 갈아입으셨다. 남부끄러운 마음에 내가 새 옷으로 갈아입혀 드릴려면 나들이 갈 때 입어야지 집에서 그 좋은 옷을 뭣 하려 입느냐고 펄쩍 뛰셨다.

나들이할 가망이 없는 오랜 병석에서도 나들이할 때 입을 옷을 아끼느라 헌옷만 입으셨다. 나는 그분이 마치 며느리를 망신주기 위해 헌옷만 입으시는 것 같아 그분이 싫었다. 그분의 초라하던 헌옷 때문에 속도 많이 썩었고 분노를 걷잡을 수 없을 때도 한두 번이 아니었다.

그분은 그 아끼던 새 옷을 입고 다시 나들이해보지 못하고 돌아가셨다. 친척들과 함께 그분의 유품을 정리할 때, 친척들은 아직 진솔인 채인 그분의 많은 비단옷에 놀란 것 같았다. 친척들은 새삼스럽게 나를 효부로 추켜세웠다.

그제서야 나는 알았다. 그분이 마지막 먼 나들이에 그 새 비단옷들을 한꺼번에 입고 가셨음을. 그분이 마지막으로 껴입은 그 비단옷은 며느리를 빛내기 위함이었음을.

돌아가신 그분은 키가 작았다. 옛날 노인 중에도 작은 키에 속했다. 요새 숙성한 국민학교 4, 5학년 아이들이 입으면 맞을 것 같은 회색, 옥색, 밤색, 흰색 등의 양단 뉴똥 치마저고리를 무엇에 쓸까?

친척 중의 한 분이 한 번이라도 입으시던 것은 태우든지 넝마장수를 주되 진솔은 양로원에다 갖다 주면 어떻겠느냐고 했다. 그래서 가려 놓았던 것을 그해 겨울 마침 양로원을 단골로 찾는 분과 동행할 기회가 생겨서 갖고 가게 되었다.

나는 내 선물을 매우 수줍어했고, 그쪽에서도 그것을 대수롭게 아는 것 같지도, 우습게 아는 것 같지도 않았다.

나는 그것이 의례적인 감사의 말과 함께 받아들여진 것만 고마웠다.

그때 양로원 분위기는 내가 생각했던 것보다 훨씬 밝았고, 어딘지 침착치 못하게 들떠 있었다.

궁상맞고 우울하게 가라앉아 있지 않아 훨씬 다행스러웠음에
도 불구하고 나는 형언할 수 없는 슬픔을 느꼈다.

양로원에 크리스마스가 다가오고 있었다. 복도의 크리스마스
트리에선 오색 색전구가 깜박이고 있었고, 어떤 노인은 버선 속
에 하나 가득 알사탕을 감추고 있었다.

「더도 많고 덜도 말고 매일매일 크리스마스만 같았으면 좋겠
어.」

망령기가 있는지 유아 같은 표정의 노인이 유아처럼 분홍빛
잇몸만으로 활짝 웃으며 귓전에 속삭였다.

〈더도 말고 덜도 말고 8월 한가위만 하여라〉라는 우리의 옛
속담은 8월 한가위의 풍요를 말해주기보다는 8월 한가위를 뺀
남들의 고독을 더 실감나게 말해주고 있었다.

나는 내가 뜻하지 않게 양로원의 문전성시에 끼여든 걸 알고
부끄러움을 느꼈다. 그러나 크리스마스 외의 계절에 양로원을
따로 다시 찾을 용기는 좀처럼 나지 않았다.

1년 중 가장 행복한 계절의 양로원도 보기 슬프거늘 아무도
찾는 이 없는 쓸쓸한 날의 양로원을 어찌 견디랴. 미리 주눅부
터 드니 어쩌랴.

양로원 노인보다 더 슬픈 노인은 나의 어머니다.

하필이면 꼭 내가 전화드려야지 마음먹고 있는 날 아침에 먼
저 걸려 오는 내 어머니의 목소리처럼 절절하게 슬픈 게 또 있
을까? 몸 성하냐, 밥 잘 먹냐, 아이들 학교 잘 다니냐, 이런 세

세한 안부 때문에 내가 문안드릴 겨를도 안 주는 어머니의 자상한 목소리처럼 듣기 싫은 게 또 있을까.

그러나 나는,

「듣기 싫어, 꺼버려」

라고 누구에게 말할 수도 없으니 어쩌랴.

어머니가 내 집에 오셔서 멍하니 창 밖을 내다보고 계신 걸 보는 것은 슬프다. 어머니가 보고 계신 건 창 밖의 풍경일까? 당신의 지난날 일일까?

창 밖의 풍경도 지난날도 하염없이 흐르고 차디찬 죽음의 예감이 우울하게 서린 어머니의 노안은 크나큰 비애다.

나의 어머니가 보기 좋을 적이 전혀 없는 건 아니다. 뭐니뭐니 해도 행복해보일 적의 어머니가 제일 보기 좋다.

어머니가 참으로 행복해보일 적은 입지도 않으실 비단옷을 해갔을 적도 아니고, 용돈을 드렸을 적도 아니고, 고기를 사갔을 적도 아니다.

그런 효도는 평상시의 무관심에 대한 일시적인 보상에 지나지 않는다는 것을 누구보다도 어머니는 잘 알고 계시다. 양로원 노인들이 크리스마스가 1년에 한 번밖에 안 돌아온다는 걸 알고 있듯이.

그래서 그런 일시적이고도 물량적인 효도를 받으실 때의 어머니는 차라리 더 쓸쓸하다. 어머니가 정말 행복해보일 적은 무릎으로 엉겨드는 증손자를 어루만지실 때다. 그 어린 놈은 그 노인의 얼굴이 늙어서 보기 싫다는 것도 그 노인의 위치가 무력하다는 것도 아직 모른다. 따습고 말랑하고 정이 흐르는 손길이 본능적으로 좋아 따르고 있을 뿐이다. 내 어미니뿐 아니라 어떤 노인도 어린 손자와 함께 있을 때 슬프지 않다.

생명이 소멸돼갈 때일수록 막 움튼 생명과 아름답게 어울린다는 건 무슨 조화일까? 생명은 덧없이 소멸되는 게 아니라 영원히 이어진다고 믿고 싶은 마음 때문일까?

이번 겨울엔 내 어머니를 증손자가 무릎으로 엉겨붙는 당신의 집으로 돌아가 계시게 해야겠다.

청복(淸福)

나는 한 번 우려낸
잎차에다 다시
더운 물을 부었다.
두번째 맛은 밍밍한 게
더욱 밍밍해졌지만
향기는 한층
깊어진 것 같았다.
그거야말로 향기였다.
거기 대면 커피는
냄새에 지나지 않았다.
잎차의 맛은
향기의 맛이었다.

청복(淸福)

　아침에 식구들을 다 내보내고 나서 혼자서 마시는 커피맛처럼 좋은 게 없다. 쓸쓸하면서도 감미롭고 텅빈 것 같으면서도 충일한 것 같은 느낌을 맛보게 된다.

　그 시간을 천천히 그러나 지루하지 않게 누리기 위해 아침일은 될 수 있는 대로 서둘러 하게 된다. 할 일을 조금이라도 남겨놓거나 대강대강 하면 마음이 꺼림칙해서 차맛이 뚝 떨어진다. 둘레에 지지분한 거나 비뚤어진 게 눈에 띄어도 차맛은 없어진다. 물론 몸이 거북하거나 아침밥을 너무 많이 먹거나 안 먹어도 차맛이 덜하다.

　그러다 보니 한잔의 커피맛을 위해서 자꾸만 까다롭게 되고 창 밖의 풍경, 햇빛에까지 신경이 써지고 결국 만족할 만한 차맛에 도달하기는 점점 더 어렵게 되고 말았다. 심지어는 아침에 방문객이 있어 같이 차를 마시게 돼도 차맛이 감소되어 아침 커피는 어떻게든 혼자서 마시려는 괴벽까지 부리게 됐다.

어떤 즐거움이든지 너무 탐닉하게 되면 사람이 치사해지는 건 한잔의 차라고 해서 결코 예외는 아니었다. 그렇다고 그 재미마저 놓치고 싶지는 않은 게 실상 나는 너무 괴벽이 없는 편이라 그 정도의 괴벽쯤 크게 흉될 건 없을 것 같았고, 남의 눈에 띄거나 남에게 해될 게 없는 건 괴벽이랄 것도 없다는 생각도 들었다.

아침 식후뿐 아니라 커피는 하루에 서너 잔 이상 마시는 편이었다. 밖에 나가 사람을 만나면 으레 커피를 마셨고, 집에 있을 땐 대개 온종일 원고지와 씨름을 하는데 막힐 때마다 애꿎은 커피를 마셔댔다. 커피를 마신다고 막힌 게 뚫리는 것도 아니고 아침 식후처럼 감칠맛이 있는 것도 아닌데 그냥 버릇이었다. 뭔 일이 잘 안될 때 담배를 픽픽 피워대는 사람도 이해할 것 같았고, 그게 커피 마셔대는 것보다 훨씬 멋있는 것도 같아 나도 커피 대신 담배를 피워볼까 시도 안해본 것도 아니지만 그게 잘 안됐다. 쓰나 다나 커피였고 남들은 커피를 많이 마시면 잠이 잘 안 온다든가 소화가 잘 안된다든가 하는 부작용이 있는 모양이지만 나는 신경도 위장도 남달리 튼튼해 밥 잘 먹고 잠 잘 잤다.

이렇게 무딜 정도로 튼튼한 신경도 견디어내지 못할 만큼 커피를 마신 적이 있는데 몇 년 전 조선호텔 커피숍에서였다. 근

청복(淸福)

래엔 거기 간 적이 없어 요새도 그런지 모르지만 그때는 오래 앉아서 얘기하고 있으면 웨이터가 빈잔에다 얼마든지 커피를 더 따라주었다. 찻잔도 보통 다방의 세 배는 되게 큰 데다 가득 가득 채워주는 대로 나는 마셔댔다. 그땐 무슨 일이었는지 친구 와 나는 거기서 다섯 시간쯤 얘기를 했던 것 같다.

그동안 몇 잔의 커피를 마셔댔는지 정확한 숫자는 생각나지 않지만 그날 시장에 들러 뭘 사려는데 기분이 이상했다. 손끝이 떨리고 정신을 집중할 수가 없어 간단한 돈계산도 할 수가 없었 다. 내가 나 같지가 않고 붕 떠서 제멋대로 부유하고 있는 게 허 깨비처럼 눈앞에 어른대기도 했다. 내가 내 말을 듣지 않고 나 로부터 분리돼나간 것 같은 느낌은 두렵고도 고약했다. 나는 그 날 무진 애만 쓰다가 결국 볼일을 하나도 못 보고 가까스로 집 으로 돌아왔다.

그 일이 있은 후 비로소 사람들이 말하는 커피의 과음의 해 독에 대해 수긍하는 마음이 생겼으나 원고 쓰는 동안은 뭔가를 마셔대야 할 것 같은 강박관념은 여전했다. 남들이 좋다는 잎 차, 결명차, 구기차 같은 걸 구해서 커피 대신 마셔보려고 노력 도 해보았지만 기호품을 바꾸는 건 쉽지 않았다. 기호품은 어디 까지나 기호품일 뿐이지 거기서까지 영양가니 해독이니 따진다 는 게 치사하게도 여겨졌다. 술 담배가 지나치면 몸에 해롭다는 건 세상이 다 아는 사실이지만 그것 없이 삶이 무의미한 사람에 게 그걸 끊으라는 건 식물인간 노릇을 하라는 것과 같을지도 모른다. 삶의 질과 양이 상극할 때 질 쪽을 택하는 게 좀더 멋있어 보이는 게 이 나이까지 남아 있는 나의 치기(稚氣)이다.

이렇게 일편단심 좋아하던 커피맛이 별안간 싫어진 일이 있는데 작년 말부터 금년 초에 걸쳐 한 달이나 넘게 독감을 앓을 때였다. 참으로 지독한 감기였다. 고열과 가래와 콧물과 두통이 함께 또는 번갈아 떠나지 않는데 앓기가 진력이 나고 힘들어 죽고 싶단 생각을 심각하게 할 정도였다.

그래도 약 먹고 밤에 요행 잠을 좀 자면 아침엔 기분이 한결 나아져서 식후의 그 고독하고 감미로운 커피맛을 즐기려면 웬걸, 쓰기가 소태였다. 당장만 쓴 게 아니라 온종일 쓴맛이 입 속에 늘어붙어 가뜩이나 감퇴된 입맛을 엉망으로 잡쳐놓았다.

담배 피는 사람이 흔히 건강이 안 좋을 때 담배맛 먼저 없어진다고들 하는데 그 말뜻을 그제서야 알아들을 것 같았다. 나는 마치 내 길고 긴 감기에 도전하듯이, 아니 아부하듯이, 매일 아침 한잔의 커피를 맛보았지만 감기는 완강하게 도사리고 악랄하게 고개를 저었다. 나는 지루했고 두려웠다. 감기가 지루하고 두려운 것도 같았고, 커피맛 없는 하루하루가 그런 것도 같았다. 생활의 리듬이 엉망이 된 것도 독감 때문이라기보다는 식후의 커피맛을 잃었기 때문인 것 같았다.

커피맛은 잃었는데도 때때로 뭔가를 마시고 싶은 욕구는 여전했다. 욕구라기보다는 버릇이어서 마셔야 할 때가 되면 어쩔 줄을 몰랐다.

그래서 마시기 시작한 게 잎차였다. 커피를 너무 마시는 게 몸에 안 좋다는 걸 막연히 느끼고부터 잎차도 더러 마셔봤지만 그 맹물 같은 밍밍한 맛은 좀처럼 당기지 않았었다. 또 손님에게 권하려 해도 그 까다로운 의식이 귀찮은 생각부터 들었다. 차의 으뜸가는 맛은 편한 휴식감인데 마시는 법이 그렇게 까다로워 부담이 된다는 데는 저항감마저 느꼈다.

그런데 독감을 앓으면서 혼자서 내 편한 대로 찻잔에 잎차 몇 잎을 덜어내서 더운 물을 붓고 잎차가 가라앉은 다음 천천히 마시니 그 밍밍한 맛이 그렇게 좋을 수가 없었다. 밍밍한 맛이 오랜 감기로 균열이 생긴 것처럼 아픈 목을 순하게 어루만지고 입 안 가득 은은한 향기를 남겼다. 커피의 그 짙은 향기도 못 맡게 코가 꽉 막힌 지 오랜데 보통 때는 향기가 있을랑말랑하게 희미하던 잎차 향기를 맡을 수 있을 줄이야.

나는 한 번 우려낸 잎차에다 다시 더운 물을 부었다. 두번째 맛은 밍밍한 게 더욱 밍밍해졌지만 향기는 한층 깊어진 것 같았다. 그거야말로 향기였다. 거기 대면 커피는 냄새에 지나지 않았다. 잎차의 맛은 향기의 맛이었다. 코가 막혀도 향기가 직접 물에 녹아 혀에 와닿았다. 잎차의 첫잔도 좋지만 두 번 세 번 우려낸 잔도 좋다. 마치 천천히 사라져가는 향기를 좇듯이, 끊긴 음율의 여운을 좇듯이 마시는 네번째 잔도 좋다.

잎차의 맛을 독감과 함께 알게 됐다는 걸로 지난 독감은 나에게 의미심장했다. 체력의 한계에 대해 생각했고, 늙음을 좀더 친근하게 느꼈고 생로병사의 굴레에 순명하는 게 아름답단 생각도 하게 되었다.

어느날인가 두번째 우려낸 잎차를 마시다 보니 찻잔 한가운데 작은 꽃이 활짝 핀 게 보였다. 꽃의 크기는 라일락 꽃송이를 이룬 작은 통꽃 한 개만 한데 꽃잎이 하나도 이지러지지 않고 온전했고 정결한 미색이었다. 그뿐인가, 한가운데는 꽃술이 주황색으로 선연했고 꽃받침은 갓 돋아난 새싹처럼 연연한 녹두색이었다.

나는 비로소 내가 마시고 있는 게 얼마나 신비하고 아름다운 것의 정기(精氣)인가를 알고 숙연했고 황홀했다. 그리고 차를 마시는 법이 까다로운 까닭도 이해할 수 있을 것 같았다. 신비하고 아름다운 것의 정기를 마시는 은총에 대해 저절로 우러나는 경건한 몸가짐이 그런 예절을 만든 게 아닐는지.

요샌 독감도 다 나았건만 거의 커피를 안 마시고 잎차를 마신다. 정식으로 배우진 않았지만 내 나름으로 예절도 갖추고 마신다.

잔도 커피잔으로 마시던 걸 잎차잔으로 바꾸었다. 도예를 하는 막내딸이 빚어 구운 잎차잔은 모양도 좋지만 빛깔이 따습고 너그러운 유백색이어서 정겹다. 요즈음 많이 나와 있는 백자가 대개 차가운 청백색인 데 비해 그게 유백색인 게 난 그렇게 좋을 수가 없다. 딸아이의 예쁘고 가냘픈 손이 그걸 빚고, 정과 사랑이 풍부한 마음이 그런 빛깔을 내었거니 싶어서다. 그 유백색

잔 한가운데서 차꽃이라도 피어나는 날이면 나는 내가 지나친 사치를 하고 있는 게 아닌가 과람하기조차 한다. 내 아직 딴 사치한 게 없으니 부디 과람하지 않은 청복(淸福)이길 빈다.

오래 청복을 누리고 싶다.

나의 크리스마스

서로 몰래 선물을
갖다 놓을
시기를 찾느라
크리스마스 이브엔
잠을 설치고 새벽엔
선물 꾸러미를 끄르며
즐거워하는 우리집만의
독특한 크리스마스는
아이들이 결혼해서 집을
떠날 때까지 계속되었다.

나의 크리스마스

　나의 유년기엔 크리스마스에 대한 추억이 전혀 없다. 벽촌의 완고한 유교 집안에서 태어났고, 할머니를 따라 절이나 무당집에 갔던 일이 몽롱한 신비체험으로 남아 있을 뿐이다. 그러나 어느 해던가 잘 차려입은 할머니를 따라 개성 시내에까지 가서 구경한 사월 파일(불탄일)의 연등놀이는 잊을 수 없는 아름다움으로 남아 있다.

　서울에 와서 국민학교에 다니면서 예배당을 처음 보았다. 그때는 교회를 다들 예배당이라고 불렀다. 그러나 친구나 이웃 중 예배당에 다니는 사람은 없었고, 누가 나더러 예배당에 다니라고 권하는 사람도 없었다.

　그때 살던 서대문 밖 집은 산동네였는데, 서대문 형무소 뒷길을 돌아가다가 계단을 올라 쌀가게 골목으로 들어가면 예배당의 목조대문이 바라보였다. 멀리서 보면 예배당이 막다른 집처럼 보였지만 왼쪽으로 꼬부라져 예배당 담을 끼고 긴 골목이 나 있었다. 그래서 누구한테 집을 가르쳐줄 때는 꼭 예배당 소리가 들어갔고, 나는 조석으로 예배당 담을 끼고 다녀야만 했지만 그 속에서 찬송가나 설교 소리를 들은 생각은 나지 않는다. 늘 침침하고 괴괴했었다.

6학년 때는 상급학교 시험 준비를 시키느라고 학교에서 늦게 보냈는데, 어두워진 후에 예배당 담을 끼고 갈 때가 제일 무서웠다. 너무 늦으면 어머니가 예배당 문앞까지 마중나와 계시기도 했다.

예배당에 다니는 아이에 대해 처음 안 건 국민학교 3학년 때였다. 숙제로 지어온 작문을 차례로 읽는 시간이었는데, 어떤 아이가 산타클로스 할아버지한테 선물 받은 얘기를 읽었다. 공부를 잘 못하는, 존재 없는 아이였는데, 그 내용 또한 하도 황당해서 무슨 잠꼬대를 하나 하고 들었다. 그러나 선생님은 잘 썼다 못 썼다는 평 대신 「너 예배당에 다니니?」하고 묻는 것이었다. 그 아이가 고개를 끄덕였다. 그 아이에 대한 경멸과 동네 예배당 길의 적막이 나의 유년기의 기독교에 대한 인식의 바늘구멍만한 시작이었다. 지금 생각해보니 기독교가 혹독한 탄압을 받던 일제 말기의 일이다.

해방이 되고 얼마 안되어 집이 신문로로 이사를 했다. 그때는 벌써 중학교 2학년 때라 기독교에 대한 신앙은 없었다고 해도 그 나이에 적합한 지식은 가지고 있었다. 그러나 신앙으로 이어질 만한 계기는 생겨나지 않았다.

그때 나는 문학에 깊이 경도되어 있었고, 제사를 정성껏 모시는 집안에서 예수쟁이가 생겨나면 집안이 망한다고 철석같이 믿는 할머니가 생존해 계셨다. 그러나 집 근처에는 덕수 교회, 새문안 교회 등 유서 깊은 교회가 있었고, 이웃에서 교회에 나가는 친구도 생겨났다.

특히 크리스마스 때는 교회에서 선물을 준다고 너도나도 떼를 지어 교회로 몰려갔다. 해방 후의 궁핍하던 시절, 외국의 구호물자가 교회를 통해 많이 풀리던 때 얘기다. 예수쟁이라면 질색인 할머니조차 넌 왜 예배당에 가서 뭣 좀 얻어오지 않느냐고 나를 은근히 부추겼다. 뭔가 얻으러 1년에 한 번씩 교회에 간다는 데 대한 혐오감과 결벽성 때문에 나는 더욱더 교회의 은성하고 따뜻한 불빛을 외면하였다.

결혼하고 첫딸을 낳아 그 아이가 인형이나 소꿉 등 예쁜 물건에 대한 욕망이 생기고부터니까 아마 세 살 무렵부터가 아니었던가 싶다. 그때부터 우리 부부는 선물을 위한 크리스마스를 지켜왔다. 평소 아이가 갖고 싶어하던 것과 의외의 선물을 합해서 한 아름 아이가 자는 동안 머리맡에 놓아두었다가 아이가 깨서 그걸 보고 놀라고 기뻐하는 모습을 보며 즐거워하는, 신앙과는 상관없는 크리스마스였다.

그러나 공리적인 목적까지 없는 건 아니었다. 네가 착한 아인가 아닌가를 어디선가 지켜보는 분이 계셔서 산타 할아버지를 보내 착하고 예쁜 짓에 대한 선물을 보내온다고 가르쳤고, 아이가 말을 안 들으면 「올해는 산타 할아버지가 선물 안 가져오시겠네」하고 위협을 하기도 했다.

그 애 밑으로 아이들이 늘어나는 데 따라 크리스마스는 우리집의 가장 큰 연중행사가 되었다. 아이들 수대로 선물의 양도 늘어나는 걸 나는 미리미리 사다가 아이들 눈에 안 띄게 몰래 감춰놓아야 했고, 틈틈이 포장을 해야만 했다. 어찌나 완벽하게 비밀보장을 했던지 큰아이는 국민학교에 들어갈 때까지도 산타 할아버지가 정말 계시다고 굳게 믿고 있었다. 어느 정도 자라면 저절로 알게 되려니 했는데 그게 잘 안됐다.

어느 해 크리스마스 무렵, 딸애가 산타 할아버지 때문에 동네애와 크게 싸우는 소리를 들었다. 크리스마스 때도 선물을 받아본 적이 없는 그 아이는 산타 할아버지는 없다고 우기고, 우리 아이는 있다고 우겼다. 너는 나쁜 애니까 선물을 안 가져오는 거라고 자신있게 친구를 윽박지르는 딸아이를 보고 비로소 나는 산타 할아버지 보안을 너무 철저하게 해온 걸 후회했다.

나는 딸애에게 여직껏 엄마 아빠가 산타 할아버지 노릇을 해왔다는 걸 고백하고 동생들에게는 비밀을 지켜줄 것을 아울러 부탁했다. 그때 우리집엔 아이가 넷이나 되었을 때였다. 그러나 그런 비밀이 어린 딸에겐 벅찼던지 산타 할아버지가 안 계시다는 걸 아이들이 다 알게 되었다. 큰 딸애는 비밀을 지키지 못한 주제에 산타 할아버지한테 선물 받던 시절에 대한 그리움에 연연해서 크리스마스 선물만은 꼭 머리맡에 놓아주길 바랐다.

그 애들은 커가면서 엄마 아빠 머리맡에도 몰래 선물을 놓기 시작했다. 서로 몰래 선물을 갖다 놓을 시기를 찾느라 크리스마스 이브엔 잠을 설치고 새벽엔 선물 꾸러미를 끄르며 즐거워하는 우리집만의 독특한 크리스마스는 아이들이 결혼해서 집을 떠날 때까지 계속되었다. 지금은 각기 멀리 가까이 흩어져 살지만 저희끼리나 주변 사람들끼리 정성어린 선물을 주고받는 걸 즐기는 버릇만은 여전하다.

나는 그런 내 아이들이 대견하고도 사랑스럽다. 받는 것보다는 주는 걸 즐기고, 주기 전에 뭘 주면 상대방에게 기쁘고 필요한 선물이 될 것인가를 고민하는 과정에서 자기도 모르게 상대방의 처지나 마음이 되는 걸 볼 때 더욱 그렇다.

부모가 자식에게 줄 수 있는 가장 큰 선물은 종교라는 말이 있다. 부끄럽게도 나의 경우는 자식이 나에게 그런 선물을 주었다. 나는 나보다 먼저 입교한 딸의 영향으로 가톨릭에 입교하게 되었는데, 딸이 미친 영향도 입으로 한 전도는 아니었다. 딸이 교리를 배우고 영세를 받는 걸 지켜보면서, 나로서는 최선의 가정교육과 최고의 학교교육을 시켰고, 거기 합당한 사회적 성취 과정도 순조로운, 남부러울 게 없는 딸이 감추고 있던 결핍감이 무엇이었던가를 엿본 것처럼 느꼈고, 그 결핍감은 곧 나의 것이 되고 말았다.

그러나 나는 남달리 교리를 재수(再修)까지 하고 영세를 받았는데 교리를 알아듣는 게 둔한 관계도 있었지만 적어도 영세를 받으려면 남다른 영적 체험이 있어야 하지 않을까 하는 갈망 때문이었다. 어떤 형태로든 주님이 나를 부르시는 목소리를 듣고 싶었고, 「네, 저 여기 있습니다」라고 나서는 기쁨을 맛보고 싶었다. 그러나 차마 삼수(三修)까지는 할 면목이 없어 부르시는 목소리를 못 들은 채 영세 먼저 받고 보았다. 영세 받고 나서 처음 맞은 크리스마스를 나는 어떤 글에서 이렇게 쓰고 있다.

성탄절 날에는 생전 처음 자정 미사에 참례했다. 돌아올 때는 새벽 3시 가까운 시간이었는데 뺨에 닿는 바람이 칼날처럼 아팠다. 〈이게 무슨 청승이람!〉 이렇게 생각하려다 말고 나는 돌연 여직껏 경험해보지 못한 새로운 기쁨을 느꼈다. 이 세상을 정복한 어떤 권력자도 금력자도 아닌, 반 평의 따뜻한 침상조차 없어 마구간에서 태어나 구유에 누운 분을 주님으로 찬송하고 영접하기 위해 겨울밤을 새우고 혹한을 무릅쓸 수 있는 자신이 신통하고 기뻤던 것이다. 그 기쁨은 자신이 이 세상의 어떤 권력이나 금력 조직에도 예속되지 않았다는 자유의 기쁨과도 통하는 것이었다.

자발적으로 나서게 하는 거야말로 바로 주님이 나를 부르시는 방법이었다는 걸 이제야 알 것 같다.

제2부
고향의 향기

내 어린 날의 설날, 그 훈훈한 삶

군맛이 전혀 없이 달게 잘 고아진 수수엿에다 굴려낸 찹쌀경단의,
어린 혓바닥이 녹아버릴 것 같은 감미는
설의 미각의 추억 중에서 으뜸가는 추억이다.

내 어린 날의 설날, 그 훈훈한 삶

우리는 많은 것을 잃고 있다

내 어린시절의 시골집 안방은 늘 부숭부숭하고 훈훈했지만 구들목이 직접 뜨끈뜨끈하게 달아오르는 일은 좀체 없었다.

그런 구들목이 1년에 딱 한 번 버선발도 못 대게 달아오르는 날이 있다. 섣달 그믐께 엿을 고는 날이었다.

어머니와 숙모님이 청솔가지를 밤새도록 지피면서 큰 가마솥의 엿물을 졸인다. 엿이 다 고아질 동안이란 아이들이 기다리기엔 너무도 긴 동안이다. 아이들은 부엌을 들락날락 보시기나 탕기에 엿물을 얻어다가 그 단맛을 미리 즐긴다.

그 시절의 시골아이들에게 단맛처럼 감칠나는 맛은 없었다.

엿물을 얻으러 나갈 때마다 몇 밤 자면 설날이냐고 묻는다.

어머니는 귀찮은 듯이 손가락을 세 개쯤 펴보인다. 엿물을 핥으며 어머니 흉내를 내, 손가락 세 개를 펴보면 그렇게 많아보일 수가 없다. 한꺼번에 자고 깨고 싶다.

엿이 다 고아지기 전에 우선 큰 항아리로 하나를 퍼낸다. 그게 조청이다. 개성 사람들은 특히 조청을 많이 한다. 서울 사람처럼 인절미에 찍어먹기 위해서가 아니다. 찹쌀가루를 많이 장만해놓았다가 손님이 오시면 즉석에서 경단을 빚어 펄펄 끓는 물에 익혀내 가지고 아무 고물도 묻히지 않고 그대로 조청에다 묻혀낸다.

군맛이 전혀 없이 달게 잘 고아진 수수엿에다 굴려낸 찹쌀 경단의, 어린 혓바닥이 녹아버릴 것 같은 감미는 설의 미각의 추억 중에서 으뜸가는 추억이다.

다 고아진 엿은 그대로 반대기를 만들어 보관하기도 하지만 절반 이상은 강정을 만든다. 미리 마련해놓은 밥풀 튀긴 것, 콩 볶은 것, 땅콩 깐 것을 엿과 버무려 반대기를 만든다. 모양은 둥글둥글하고 두툼하고 푸짐하다.

집의 아이들이 주전부리 거리와 세배 오는 친척 아이들의 세찬상을 위한 거다.

그러나 점잖은 손님용은 다르다. 흰깨와 흑임자깨를 따로 볶아 강정을 만드는데 콩가루를 묻혀가며 얇게 밀어 마름모꼴로 썰어낸다. 달고 고소하고 품위도 있다.

이렇게 만든 강정은 큰 독 속에다 간수했던 것으로 기억된다. 몰래 훔쳐먹을 궁리를 하며 바라다본 큰 독은 어른 한 길도 넘게 커보여 어린 마음에 슬픈 절망을 맛보았지만, 사촌들하고 무동이라도 타고 훔쳐낼 작정으로 막상 큰 독을 공격해보니 우리의 한 길도 안되는 게 생각할수록 이상했던 생각도 난다.

어린 마음에 또하나 이상했던 건 설날 먹는 떡국이 우리집 떡국하고 동네집 떡국하고 다른 거였다.

개성 떡국은 조랑떡이라고 해서 서울 떡국처럼 가래떡을 썬 게 아니고, 잘 친 흰떡을 더울 때 가늘게 밀어 허리를 잘록하게 누르고 잘라낸 것이 꼭 누에고치를 축소해놓은 것 같았다.

우리는 대대로 내려오는 개성 토박이가 아니라 할아버지가 유년시대에 개성으로 이주한 얼치기 개성 사람이었다는데 할아버지는 무엇 때문인지 매사에 당신이 서울 사람이란 티를 내지 못해했다. 그래서 남들이 다하는 조랑떡을 못하게 하고 꼭 가래떡을 하게 했다.

그렇지 않아도 어린 눈에 남의 떡은 커보이게 마련이라, 그 조랑떡이란 게 굉장히 맛있어 보이다가도 동네집에 세배 가서 얻어먹어 보면 집의 떡국맛과 별로 다르지 않아 실망하기도 했었다. 세배 가면 으레 세찬상이라고 설음식을 고루 갖춘 상이 나왔지만 세뱃돈을 주는 일은 없었다. 우리집은 개성 시내에서 20여 리나 떨어진 벽촌이어서 가게라는 게 없었고 따라서 나는 여덟 살 때 서울 오기까지 돈을 몇 번 보긴 보았지만 그 쓸쓸이에 대해 아무것도 알고 있질 못했다.

정월 초사흘만 지나면 할머니 어머니들은 세배 손님 치르기에서 어느 정도 해방된다. 비로소 어머니들이 나들이할 차례가 돌아온 것이다.

어머니들이 제일 먼저 가는 나들이는 무당집 나들이였다. 혼자 가는 게 아니라 동네 아낙네들이 거의 함께 몰려서 간다. 정초에 가는 무꾸리를 샛무꾸리라고 했는데 아마 새해 무꾸리의 준말일 것이다.

개성엔 무당집과 무당들이 받드는 제신(諸神)이 함께 모여 사는 덕물산이라는 무속의 본산(本山)이 있다. 그 덕물산으로 무꾸리를 가는 것이다.

지금도 눈에 선하다. 무명에 분홍, 옥색, 남색 등 소박한 빛깔의 물을 들여 솜을 둥덩산처럼 둔 바지 저고리 설빔을 한 아녀석들이 얼어붙은 논바닥에서 팽이를 치는 황량한 겨울들판을 가로질러, 무꾸리 가는 흰 옷 입은 아낙네들의 모습이.

내 기억으론 그 시절의 그쪽 아낙네들은 아무리 설이라도 울긋불긋한 옷을 입은 것 같지 않다. 새댁이면 또 몰라도 서른만 넘으면 흰색 아니면 옥색의 무명옷에 뻣뻣하게 풀을 먹여서 뻗쳐 입었다.

무꾸리 가는 아낙네들은 양손을 행주치마 밑에 넣고 머리엔 한두 되 가량의 곡식 자루를 이고 간다. 개성 여자들은 뭐든지 머리에 이길 잘한다.

여름에 길 가다 발이 답답하면 버선을 훌떡 벗어서 반절로 접어 머리에 이고 양손을 휘두르며 간다. 물동이는 물론, 볏단, 나뭇짐, 곡식, 과일 등 장정 남자가 지게로 져도, 끙 하고 한번 안간힘을 써야 일어설 분량을 너끈히 이고도 오히려 고개와 양손은 자유롭다. 손으로 머리에 인 것을 잡는 법이 없다. 고개를 자유자재로 휘둘러 구경할 것 다한다. 그러니 한두 되 정도의 곡식을 인 아낙네들의 걸음걸이는 날아갈 듯할밖에, 그러나 절대로 서두르지 않는다. 해방감을 만끽하며 이야기를 즐기며 간다. 이야기는 무당집 안방에서도 계속된다. 무당집 안방이야말로 그 고장 아낙네들의 광장이다.

자기 차례를 기다리지도, 서두르지도 않아도 자기 차례는 돌아오고 차례가 되면 가져온 곡식을 놓고 무꾸리를 한다. 시조부모님, 시부모님, 남편, 시동생, 시누이, 아들딸 차례차례 하나도 안 빼먹고 생월 생시 하나 안 잊어먹고, 고루 신령님께 여쭈어본다.

누가 출세할 것도, 일류학교에 들어갈 것도, 큰돈 벌 것도 바라지 않는다. 다만 식구들 몸이나 성할까, 언제 시누이 시집갈까, 궁금한 건 그 정도다. 다 보고 나서도 가지 않는다. 구들장은 따습고 이야기는 무궁무진하다.

점심때가 되면 무당집에선 단골들을 위해 떡 벌어진 점심상을 차려낸다. 엄마 치마꼬리에 묻어가서 얻어먹은 무당집 조랑 떡국처럼 맛난 설음식을 어디서 다시 먹어보랴.

내 어린 날의 설날, 그 훈훈한 삶

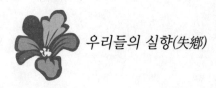 우리들의 실향(失鄕)

우리가 진정으로 기리는 목가적인 분위기, 소멸해가는 것의 아름다움은
그 외형에 있는 게 아니라 그 내용, 사람을 마음놓이게 하는
진국스러운 순박함에 있는 게 아닐까.

우리들의 실향(失鄕)

　서울 같은 도시를 고향으로 부를 수 있다고 생각해본 적은
한 번도 없다.
　그래서 서울에서 낳아 서울에서 자란 사람은 서슴지 않고 고
향 없음을 자처하는 걸 보게 된다.
　내 아이들은 그런 고향 없는 아이들이었다.
　그러다가 올해 20년 동안이나 살던 동네를 떠나고 나서 비로
소 서울에도 아직은 고향이라고 부를 만한 곳이 군데군데 조금
씩일망정 남아 있는 게 아닌가 하는 생각을 하게 된다.
　변두리에 있는 전형적인 대단위 아파트 단지에 살면서 우리
부부와 아이들이 먼저 집을 그리워하는 마음이 절절하면서도
목가적임은 향수라고밖에 달리는 부를 수 없는 것이기 때문이
다.

전에 우리가 살던 동네는 서울에서는 드물게 변화의 물결을 타지 않고 몇십 년이 여일하게 조촐한 한옥이 추녀를 맞대고 있었고, 이웃은 자주 이사를 다닐 줄 몰라 어딘지 경제적으로 침체해보이면서도 품위가 있고, 말씨엔 요즈음 세상에서 가장 인기 없는 서울 토박이 사투리가 남아 있는 사람들이었고, 대문엔 빗장이라는 어수룩하고 고풍스러운 문단속만으로도 도둑 맞는 일이 없고, 그 복잡한 서울 한복판이라면서도 오히려 태풍의 눈처럼 적막한 그런 동네였다.

우리의 향수는 한동네에서 지낸 20년이란 시간과도 상관있는 거겠지만 더 많이는 이런 환경과 상관이 있을 것 같다.

우리 식구는 감미롭고도 고통스러운 마음으로 먼젓 집에 우리가 심어놓은 개나리 덩굴과 이끼 낀 화강암 댓돌 밑에서 자생하던 우리집에만 있는 이름 모를 풀들과, 아이들이 어렸을 적부터 키가 자라는 대로 그 성장을 일목요연한 눈금으로 새겨놓은 기둥과, 육중하고 우아한 대들보와, 삐걱대는 마루와, 시커멓게 찌든 예전 장지문을 생각하고 그리워했다.

못 하나도 박을 수 없는 콘크리트 건물에 비해 목조건물은 얼마나 순순히 사람을 받아들이고 안아주고 편안히 마음놓이게 하는 것일까?

이렇게 떠나온 동네 생각만 간절하다가 새 동네에 정을 붙이긴 여름부터였는데 그건 실로 조그만 발견에서부터 비롯됐다.

주로 전철만 이용하다가 처음으로 버스를 타고 와서 동네 앞에서 내렸을 때였다.

분명히 우리 아파트 앞인 줄 알고 내렸는데 내 앞에 펼쳐진 풍경은 근대화의 첨단을 가는 아파트 단지와는 얼토당토않은 거였다.

버드나무와 미루나무의 아름드리 고목이 첩첩이 양쪽에서 짙은 녹음을 드리운 가운데 빈터엔 옹기전이 자리잡고 있었고 길가 쪽 땅에 닿을 듯이 휘늘어진 버드나무 아래엔 흙바닥에 그대로 참외·수박·복숭아를 쌓아놓고 파는 과일장수가 있었다.

나는 잠시 도시의 소음을 잊고 아찔하고 막막한 기분으로 시골 소도시에서 한적한 들판으로 빠져나가는 지점쯤에 서 있는 외로운 나그네 같은 착각에 빠져들고 있었다. 이사할 때 처치 곤란해서 제일 골칫거리인 게 장독이었던 나에게 특히 옹기전의 독들은 그리우면서도 비현실적인 태고연한 풍경이었다.

그러나 나는 옳게 내린 거였고 거기서 멀지 않은 곳에 비스듬히 우리 단지의 슈퍼마켓이 건너다 보였다.

그날부터 나는 그곳 과일노점의 단골이 되었다.

그곳은 슈퍼마켓보다 멀고 또 복잡한 찻길을 건너야 했다.

지난 여름처럼 더위가 기승스러울 때 거기까지의 뙤약볕길은 실로 아득했다. 더군다나 거기선 배달 같은 것도 해줄 리가 없었다.

그래도 꼭 거기서만 과일을 사오는 나를 아이들은 딱해하다 못해 지독한 알뜰주부로 취급하기까지에 이르렀다.

「싸면 몇 푼이나 더 싸겠다고 이 더운데 거기까지 가셔서 그 무거운 걸 손수 들고 오세요? 차라리 과일을 안 먹어도 좋으니 제발 그만두세요.」

그러면 나는 몇 푼 아끼려고만 그러는 게 아니라 거기 과일이 맛있기 때문이라고 변명을 했다.

「거기 과일하고 슈퍼마켓 과일하곤 질적으로 다르단다. 너희들이 몰라서 그렇지 꼭 원두막에서 맛보는 과일처럼 싱싱하고 달지 않디?」

이런 내 의견에 아이들이 동의하는 것 같진 않았다.

하물며 내가 옹기전이 있는 빈터 과일전에서 맛보는 기쁨과 평화를 이해할 수 있을 리가 없었다.

그야말로 나만의 것이었다. 아이들은 서울 태생이지만 나는 본시가 시골뜨기이니까. 그곳에서는 전철이 높은 시멘트 기둥 위의 철길에서 서서히 완만하게 지하로 침몰해간 광경을 바라볼 수도 있었다.

어느 짧은 순간 전동차는 칙칙폭폭 검은 연기를 내뿜는 증기 기관차가 되고 철길은 철교가 되고 나는 그 밑으로 흐르는 유연한 강물에서 벌거벗고 미역을 감는 부끄러움을 알기 전의 어린 계집애가 되어 기차를 향해 두 손을 높이 들고 폭죽 같은 환성을 터뜨리고 싶은 충동에 사로잡힐 때가 그랬다.

그건 비록 순간적인 착각일망정 콘크리트 숲속에서 허덕이는 내 침체된 의식엔 뜻밖에 신선하고 놀라운 돌파구였다.

그곳이 좋은 또다른 까닭은 그곳에 서린 소멸의 예감이었다.

어느 누가 이 눈부신 발전의 한모퉁이에 남아 있는 고목나무들과 넓은 맨흙땅과 옹기전이 오래 남아 있을 수 있다고 믿을 수가 있겠는가?

그게 아무리 보기에 좋아도 그것의 소멸은 시간문제였다. 소멸해가는 것에 대한 애틋한 사랑이 나로 하여금 그곳에 하염없이 머무르게 했다.

그러나 그것을 위해 복중에 냉방이 잘된 편리한 슈퍼마켓을 외면하고 철판처럼 달아오른 아스팔트길을 걸어 혼잡한 찻길을 건너 그곳까지 과일을 사러 간다는 걸 식구들은 이해하지 못할 뿐 아니라 마침내는 부담스러워하기 시작했다.

그래서 일부러 내가 그곳에서 사온 것과 똑같은 과일을 슈퍼마켓에서 사다가 그 값과 맛을 비교해서 보여주려고 했다.

놀랍게도 그곳 과일값이 슈퍼마켓보다 훨씬 비싼 값을 받고 있었다.

원두막에서 사먹는 것처럼 마음을 푹 놓아 에누리할 생각을 안했으니 그건 차라리 당연한 결과였다.

또 시설이 좋은 장소엔 장소값이라는 게 따로 붙은 소위 문화적인 분위기에 따르는 분위기값을 우리가 묵인하고 들어가는 것처럼 이 목가적인 분위기에도 당연히 분위기값을 치러야 하는 건지도 몰랐다.

그러나 그동안 내가 결코 몇 푼 싸게 사기 위해 그곳을 찾지

않았음에도 불구하고 손해나는 어리석은 짓을 오랫동안 해왔다
는 증거는 내 마음을 대단히 쓰리고 아프게 했다. 그건 거의 배
신감에 가까웠다. 나는 그 후 식구들의 뜻대로 그곳에 발길이
뜸해지고 슈퍼마켓에서 정가대로 사고 배달을 시키는 편리에
익숙해졌다.

우리가 진정으로 기리는 목가적인 분위기, 소멸해가는 것의
아름다움은 그 외형에 있는 게 아니라 그 내용, 사람을 마음놓
이게 하는 진국스러운 순박함에 있는 게 아닐까. 다목적댐에 의
해, 고속도로에 의해, 공업단지에 의해 소멸해간 것들의 옛스러
운 게 그 외형뿐 아니라 내용까지라고 생각할 때 우리의 실향은
참으로 참담하다.

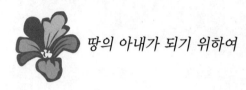 땅의 아내가 되기 위하여

흙의 비밀, 흙의 생산성과 사귀기 위해 수고할 각오 없이 다만 시골로 가서
땅집 짓고 발로 흙을 밟고 싶다는 나의 속들여다 뵈는 허위야말로 가소롭다.
편리의 중독을 끊지 못하는 한 어디 간들 땅이 발 밑으로부터 멀긴 마찬가지일 게다.

땅의 아내가 되기 위하여

　우리 동네엔 옹기전이 두 군데나 있다. 옹기전이 있는 일대
는 널따란 공터여서 나이가 많은 잘생긴 나무들도 여러 그루 서
있고, 무엇보다 바닥이 맨흙바닥이어서 좋다.

　여름엔 그 근처에 과일 장수들이 자리잡고 있어서 나는 슈퍼
마켓을 지나서 일부러 그곳까지 가서 과일을 사오곤 했다. 거기
서 과일을 살 때마다 내 딴엔 원두막에서 사는 것만치나 운치를
즐기고 있었다.

　그러다가 거기의 과일값이 슈퍼마켓보다도 비싸다는 걸 알고
부터는 발길이 뜸해질 수밖에 없었다. 그야 큰 마음 먹고 찾아
간 도매시장에서 되레 바가지 쓴 경험이 한두 번이 아닌 나로서
그만 일로 그 좋은 곳과 토라지는 것도 우스웠으나 운치가 보기
좋게 조롱당했다는 건 돈 몇 푼의 손해보다 훨씬 마음이 언짢았

고 언짢은 마음도 오래갔다. 배신감 비슷한 거였다.

얼마 전 시집간 딸애가 손자녀석을 나에게 맡기고 외출을 한
적이 있었다. 손자 귀여운 건 나 역시 여느 할머니 못지않지만
나 혼자서 손자를 봐줘야 할 때는 울거나 보챌까 봐 미리 겁이
나 지나치게 아부하는 경향이 있다. 그날도 나는 집에서 그 애
가 좋아하는 놀이를 골고루 다해주고 나서 집에서의 레퍼토리
가 동이 나자 심심해하기 전에 미리 밖으로 업고 나왔다.

밖은 겨울이지만 봄날처럼 따뜻했다.

놀이터로 데리고 가서 그네도 태우고 모래 장난도 시키고 상
가에 가서 주전부리도 시켰다. 그래도 즈이 엄마가 돌아오겠다
는 시간은 아직 멀고 나는 극도로 피곤해졌다. 겨우 쉬운 말귀
를 알아들을 정도의 어린애를 지속적으로 심심하지 않게 하려
는 게 이만저만 중노동이 아니었다. 또 아무리 돌고 돌아도 거
기가 거기인 아파트 단지 속이란 게 우리에 갇힌 짐승의 헛된
운동처럼 정신적인 피로감까지 과중시켰다.

그때 문득 옹기전 생각이 났다. 나는 손자를 업고 단지를 벗
어나 길을 건너 옹기전이 있는 공터로 가서 아이를 내려놓았다.
아이는 낄낄대고 뛰놀다가 곧 흙장난을 시작했다. 나도 흙바닥
에 퍼더버리고 앉아 아이가 노는 걸 바라보기만 했다. 흙으로
빚은 옹기그릇들이 오후의 햇빛을 받고 정답게 반짝이는 너른
마당에서 흙장난하는 아이를 무심히 내버려두고 있으려니 피곤
이 저절로 풀리면서 훈훈한 행복감 같은 게 마음속에 고여오는

것 같았다.

아무리 아부를 해도 곧 싫증을 내던 아이가 흙장난엔 도무지 싫증을 낼 줄 몰랐다. 집에 가자고 몇 번 채근을 해도 도리도리를 하고는 하던 장난을 계속하는 것이었다. 덕택에 청결제일주의로 깔끔하게 기른 아이의 손발과 옷이 흙투성이가 됐다. 내 딸애가 돌아와 뭐라고 탓을 할지도 모르지만 내 눈엔 그게 보기에 매우 좋았다. 크게 좋은 일을 해준 것처럼 흐뭇하기조차 했다.

내 아이 기를 때 생각이 났다. 어른을 모시고 아이를 기르려면 신구(新舊)의 충돌 같은 걸 더러 겪게 된다. 살림살이에서 신구의 충돌은 대개 신 쪽인 내 쪽에서 양보할 수 있어도 육아에서의 신구의 충돌은 그게 잘 되지 않았다. 왜냐하면 신은 위생적·과학적이고 구는 비위생적·비과학적이란 고정관념이 있기 때문에 아무리 고부간의 화합을 위한다 하더라도 내 아이를 함부로 비위생적·비과학적인 방법으로 기를 순 없다는 생각 때문이었다.

아이들이 갓 태어났을 때 얼굴에 발긋발긋 습진 비슷한 게 돋을 때가 있다. 그런 일로 아이를 병원에 데리고 가려면 시어머님은 혀를 차면서 못마땅해하셨다. 그건 태열인데 아이들이 흙만 밟게 되면 저절로 낫게 된다는 거였다. 흙을 밟게 된다는 건 걸어다닌다는 뜻인데 어떻게 보기도 흉하고 말 못하는 아이

땅의 이네기 되기 위하여

가 얼마나 괴로운지 모르는 피부병을 걸어다닐 때까지 앓게 하느냐고 하면 시어머님은 아이를 마당으로 안고 나가 발바닥을 흙에다 쓱쓱 문질러주시는 거였다.

그런 시어머님의 행동은 조금도 억지스럽지 않고 차라리 엄숙했다. 정성껏 고사를 지낼 때나 제사를 모실 때처럼 신성한 위엄조차 깃들여 있었다. 그만큼 그분은 흙의 영험을 확신하고 계셨다. 아니 확신이 아니라 신앙이었을지도 모른다.

아이들이 홍역을 앓을 때 가재즙을 먹이려 한다든지 눈다래끼에 약쑥 태운 걸 발라주려는 그분의 처방을 단호히 반대할 수 있었던 나도 왠지 아이 발바닥에 흙을 묻히는 처방은 마다고 할 수가 없었다. 크게 해로울 건 없을 테니까 그냥 참고 있는 것하곤 다른 기묘한 감동을 경험하면서 그분의 처방 아닌 의식을 지켜보았다. 그분이 믿으시는 것처럼 발바닥에 묻힌 흙이 태열을 낮게 하리라는 걸 믿는 건 아니었지만 나는 어쩌면 더 큰 걸 믿으려는지도 몰랐다. 나는 내 아이의 어리지만 씩씩한 발이 흙과 접촉함으로써 흙의 꿋꿋함, 흙의 생산성에 감염되길 바라고 있었다.

흙장난에 지칠 줄 모르는 손자를 바라보며 그런 생각을 하려니 너무 흙과 격리된 환경에서 자라고 있는 그 아이에게 미안한 생각이 들었다. 저렇게 좋아하는 것을…… 아무리 신기한 장난감도 한참 가지고 놀면 싫증을 내는데, 옹기그릇과 나무 몇 그루 빼고는 맨흙밖에 가지고 놀 거라곤 없는 곳에서 아이는 오래도록 싫증을 낼 줄 몰랐다.

아파트 단지 내에라고 흙이 아주 없는 건 아니다. 녹지대도 있고 어린이 놀이터도 있다. 그러나 녹지대엔 출입이 금지돼 있고 놀이터의 땅은 흙이 아니라 모래다. 모래는 풀 한 포기, 벌레 한 마리도 못 키우는 불모의 체질이다. 흙하곤 격이 다르다.

나는 옛날의 우리 시어머님만큼이나 경건하고 다소곳한 마음으로 흙의 꿋꿋함, 흙의 정직, 흙의 무진장한 생산성이 내 손자에게 넉넉하게 옮아붙기를 기원하며 아이가 흙강아지가 되도록 그곳에서 놀렸다.

아이도 나도 시간 가는 줄 모르는 사이에 주위가 어둑어둑해졌다. 겨울의 저녁나절은 황당할 정도로 조급해서 나는 부랴부랴 아이를 들쳐업었다. 등뒤에서 아이가 하늘을 손가락질하면서 말했다.

「달, 달.」

이제 두 돌도 안된 아이의 발음으로 듣는 〈달〉 소리의 귀여움을 무엇에 비길까? 저만치 아파트 꼭대기에 정말 쟁반 같은 달이 둥실 떠 있었다.

「달 달 무슨 달 쟁반같이 둥근 달 어디 어디 떴나?」

나는 여기까지 노래를 하고 나서 〈남산 위에 떴지〉의 부분을 〈아파트 위에 떴지〉로 고쳐 불렀다. 아직 말이 서투른 아이는 등뒤에서 〈아파트 위에 떴지〉만 따라서 했다. 그 다음부터 아이는 그림책에서 달을 볼 때마다 〈아파트 위에 떴지〉해서 우리를 웃긴다. 웃고 나면 곧 허전하고 미안해진다.

어린것 눈에 슈퍼마켓 위에 둥실 떠 있는 애드벌룬과 아파트 위에 떠 있는 달이 어느 만큼 달라보이는지 나는 알지 못한다. 달의 신비가 인간의 발자국에 의해 어느 만큼은 오염됐다 해도 애드벌룬과 동격이 될 수야 없지 않은가.

동산 위에 뜬 달, 허허벌판이 다한 아득한 능선 위에 뜬 달, 바다에 뜬 달을 보고 가슴을 울렁거리는 어린시절을 내 사랑하는 손자들에게 선물해야 될 것 같다. 동산 위에 뜬 달하고 아파트 위에 뜬 달하고는 흙과 모래만치나 격이 달라보인다. 먹을 것, 입을 것이야 어련히 즈이 에미 애비가 진짜 가짜를 잘 가려서 먹이고 입히랴만은 진짜 흙, 진짜 달이 동심과 만나 장차의 아름답고 늠름한 인간성의 바탕이 되게 하는 일만은 할미 할아비가 해줘야 할 것 같다.

그런 뜻도 한몫 거든 거겠지만 시골 내려가 살잔 소리를 우리 부부가 요새처럼 자주 해본 적도 없다.

남편은 순 서울 토박이요, 나는 실향민이기 때문에 쉽게 발붙일 수 있는 연고지가 있는 것도 아니고 남들처럼 노후대책으로 농장이다 목장이다 해서 미리 장만해놓은 시골땅이 있는 것도 아니다. 그런데도 시골 내려가 살잔 소리는 도시생활에 싫증난 사람이면 누구나 한 번씩 해보는 탄식의 한계를 지난 절절한 것이고 요새는 시기적, 금전적으로 구체적인 계획까지 세우는 중이다.

시기적으로는 남은 딸들을 출가시키고 아들을 졸업시킨 후가 적절할 테니 그때 시골로 가게 될 사람은 지금보다 훨씬 더 늙은 우리 부부 두 식구밖에 없을 것이다. 자유업이라 정년퇴직의 걱정은 없다지만 매사엔 물러날 적당한 시기가 있는지라 남편도 언젠가는 지금 일을 그만둬야 한다고 생각하면 그 후의 일이 참으로 따분하게 여겨졌었다. 증권회사나 노인정 같은 데 나와서 온종일 소일하는 노신사를 봐도 남의 일 같지 않았다. 남편의 친구 중엔 이미 정년 퇴직해서 그 퇴직금을 사업한다고 날리고 반 평짜리 담배가게를 차려 소일하면서 남보다 서둘러서 늙어가는 분도 있는 걸 나는 알고 있다.

흙은 결코 늙은이의 손이라고 해서 거부하거나 얕잡지 않을 것이다. 자기에게로 돌아올 날이 가까운 늙은이에게 더 자비로울지도 모른다. 그렇다고 거창한 영농(營農)을 꾀하지는 않으리라. 늙은이의 기력에 알맞은 작은 채마밭과 꽃을 실컷 심을 수 있는 뜰만 소유하고 그 밖의 것은 내 거 아니면 어떠리, 동산에 뜬 달 보듯이 욕심 없이 바라보고 즐거워하면 그만인 것을.
작은 채마밭에서 일하는 늙은 남편은 생각만 해도 즐겁다. 아무리 작은 밭밖에 없어도 나는 그를 농부(農夫)라고 부를 것이다.
늙은 농부, 얼마나 좋은가. 늙은 학자, 늙은 부자, 늙은 예술가, 늙은 정치가, 늙은 의사, 아무리 좋은 것에도 〈늙은〉을 붙

땅이 이네가 되기 위하여

이면 쓸쓸하고 불쌍해진다. 업적과 경륜이야 늙었다고 어디 가는 게 아니지만 창조적인 작업은 끝났다는 느낌 때문일 것이다. 그러나 농부만은 안 그렇다. 늙은 농부는 꿋꿋하고 창조적이다. 나는 늙은 농부가 너무 멋있어서 반할 것 같다. 어쩌면 나는 그 나이에 새롭게 연애를 할지도 모르겠다.

내가 이렇게 노후의 계획과 철딱서니없을 정도로 허황한 공상을 즐기는 시간이 많게 된 것은 소위 노후라는 게 바로 코앞에 닥친 때문이기도 하지만 지금 사는 아파트로 이사하고부터인 것 같다.

이사하는 날은 새벽부터 비가 내렸다. 청승맞게 온종일 내리는 빗발 속에 우리집 대(代)물림의 구닥다리 세간이 곤도라라는 괴물에 매달려 한없이 공중으로 올라가는 광경은 차마 눈뜨고 볼 수 없을 만큼 아슬아슬했다.

사람의 살림이 저렇게 땅을 거슬려서 어쩔려나. 나는 비겁하게도 그걸 안 보기 위해 베란다 쪽과는 반대방향으로 돌아가 거대한 아파트 그늘에 막연히 서 있으면서 형언할 수 없는 소외감을 느꼈다.

그리고 무슨 각성이나 계시(啓示)처럼 돌연 〈요다음 이사갈 곳은 시골이다〉라고 정하고 말았다. 그렇게 정하니까 한결 숨통이 트이고 살 것 같았다.

그러나 곤도라의 줄이 녹슬거나 기계고장으로 이삿짐이 추락해버릴 것 같은 위기의식은 그 이삿짐이 무사히 다 안으로 들어와 제자리에 놓이고 전처럼 익숙한 내 살림이 된 후에도 문득문득 되살아나곤 했다.

그렇다고 현재의 생활의 편리함까지 부정하려는 건 아니다. 20년 가까이 산 불편한 한옥을 떠나 아파트 맛을 보니 과연 편키는 편타 싶어 감탄할 적도 많다. 더군다나 겨울이 되니 내가 연탄 가느라고 밤잠 설치지 않고도 온 집안이 뜨뜻하고, 더운물이 나오는 게 촌스러울 정도로 신기해서 감지덕지하고 있다. 그러다가도 우리 살림을 이렇게 편리하게 해주는 문명이 언제 고장을 일으킬지도 모른다는 생각이 들면 마치 땅에서 곤도라를 쳐다볼 때처럼 불안하니 참말로 걱정 많은 기(杞)나라 사람의 근심도 무색할 지경이다.

결국 편리하다는 것과 마음이 편안하다는 것과는 얼마든지 일치되지 않을 수도 있단 소리가 되겠다. 〈편리〉라는 문명의 선악과는 결코 땅에 열리지 않고 저만치 허공에 매달려 있다. 사람은 그 맛을 한 번 본즉 잊을 수 없을 뿐더러 점점 더 그 맛에 허기가 져 자꾸자꾸 붕 떠오르다 보니 땅은 멀고, 내 발 밑에 땅이 없다는 불안감을 언제고 큰 마음 먹고 땅으로 뛰어내리리라고 벼르는 것으로 달래지만 이미 뛰어내리기엔 너무 높이 편리를 따라 떠올라 있는 게 우리네 살림이 아닐는지. 어찌 살림뿐이랴. 도시의 문명이란 것이 전반적으로 그 비슷한 것일지도 모르겠다.

작년 연말에 폭설이 내린 날이 있었다. 아파트 창문을 통해

내다보는 광경은 장관이었다. 눈이 하늘에서 내리는지 땅에서 솟구치는지 분간을 못하게 탐스러운 눈송이가 공중에서 선회도 하고 난무도 하는 것이 자연의 대축제처럼 화려하고 장엄했다.

나는 그날 2시까지 꼭 가야 할 곳이 있었는데도 눈 내리는 광경에 취해서 그 눈이 땅에 얼마만큼 쌓였고 땅의 교통에 얼마만큼의 불편을 주고 있는지 별로 생각하려 들지 않았다. 외부로부터 전화가 와서 오늘 제시간에 가려면 딴 때보다 훨씬 미리 떠나야 할 거라고 귀띔을 해주어서 부랴부랴 집을 나섰다.

정말 대단한 눈이었다. 땅의 교통은 완전히 두절된 것처럼 보였다. 다행히 2시까지 가야 할 일을 위해 예약해놓은 차가 있어서 그래도 안심이었다. 평상시 같으면 일사천리로 쾌적하게 달릴 수 있던 강변도로 통행이 중단됐다고 했다. 차는 돌고 또 돌았다. 나는 차츰 초조해지기 시작했다.

그래도 노련한 운전기사는 삼일고가도로까지 진입했고 고가 위는 느리게나마 정상적으로 차가 다니고 있었다. 삼일고가도로만 끝나면 내가 가야 할 곳은 지척에 있었다. 나는 다 온 것처럼 안도의 숨을 내쉬고, 다시 느긋한 마음으로 차창을 통해 눈 오는 광경을 감상했다.

평소 삼일고가 위에서 본 서울 장안처럼 추악한 건 없다 싶었는데 그날 폭설의 장막을 통해 본 도시는 비현실적인 환상의 도시였다. 나는 자주 탄성을 지르며 그날의 외출을 즐거워했다.

그러나 차는 삼일고가 퇴계로 쪽으로 꺾이면서 더 높아지는 언덕빼기에서 더이상 움직이지 않았다. 우리 차뿐 아니라 앞의 여러 대의 차가 꼼짝못하고 밀려 있었다. 운전수의 뜻과는 상관 없이 뒤나 옆으로 미끄러지는 차도 있었다. 고가도 높은데 더 높은 데서의 일이었다.

나의 목적지는 바로 코앞에 있었다. 다 온거나 마찬가지였다. 그러나 땅은 까마득했다. 천길 벼랑 밑만큼이나 깊게 느껴졌다.

동승한 아들과 운전기사가 내려 그곳에서 교통정리를 하고 있던 사람과 함께 앞에 밀린 차부터 밀기 시작했다. 보고만 있어도 간이 오그라드는 것처럼 조마조마하고 위험스러운 모험이었다. 그러나 나는 귀한 내 아들까지 그 일을 하고 있는데도 말리지를 못했다.

왜냐하면 내가 2시까지 가야 하는 곳은 어떡허든 가지 않으면 안되는 곳이었다. 그곳은 바로 내 딸의 결혼식장이었던 것이다. 나는 차라리 두 눈을 꼭 감고 기도를 했다.

제발 우리가 무사히 땅을 밟게 해주십시오. 땅만 밟으면 이 까짓 차 당장 버리고 내 발로 뛰어가겠습니다. 이까짓 차뿐이겠습니까. 앞으론 이 공중에 높이 매달린 고가도로인지 뭔지도 다시 이용하는 일은 없을 것입니다. 제발 우리가 무사히 땅만 밟게 해주십시오.

그때 내 기도와 맹세는 진심이었다. 그때처럼 땅을 밟고 서 있는 사람들이 부럽고 고가도로가 황당한 괴물처럼 보였던 적

땅이 아내가 되기 위하여

도 없었다. 정말 앞으로 다시 고가에 오르는 일은 없을 것 같았다.

기도가 통했던지 여럿이 합세해서 위험을 무릅쓰고 차를 미는 일이 성공을 해서 우리 차도 무사히 그곳을 벗어나 땅에 내릴 수 있었다. 땅도 교통혼잡은 여전해서 나는 즉각 차에서 내려서 뛰기 시작했다. 발 밑의 땅의 감촉이 그렇게 푸근하고 믿음직스러울 수가 없었다. 미끄러져도 좋았고, 고꾸라져도 좋았다. 폭설은 여전해서 나의 비단 한복은 엉망이 됐지만 그래도 나는 희색이 만면해서 시간 맞춰 결혼식장에 도착할 수가 있었다.

그러나 그 후에도 역시 나는 급하면 택시를 타고 택시는 또 고가도로를 탄다. 일상의 편리에 비해 아쉬울 때 한번 해본 맹세는 이렇게도 하찮다.

고가 위에서 또는 아파트의 십몇 층 높이에서 어떤 계기에 의해서든, 저절로이든 땅이 아득히 멀어졌다는 걸 깨닫고 무서움증을 느끼는 건 그 물리적인 거리감 때문은 결코 아닐 것 같다. 오히려 땅의 그 꿋꿋한 기상, 인간의 영원과 교사다운 땅의 생산성, 정직, 근면, 관용과의 정신적인 괴리를 뉘우치고 슬퍼하는 마음이 아닐는지.

〈편리〉라는 매혹적인 과실은 땅을 박차고 붕 떠올라야 딸 수 있도록 허공에 매달려 있을 뿐더러 한번 맛보면 잊을 수 없도록 감칠맛이 있고, 먹을수록 포만(飽滿)이 없고 허기만 지는 이상한 문명의 열매다.

내가 매일 시골로 갈 것을 꿈꾸고 앞으로 어느날 그게 실현된다고 해도 과연 그 편리의 중독까지 끊을 수가 있을까.

나의 공상 속에 농부(農夫)는 있어도 농부(農婦)는 아직 없다. 나는 어쩌면 문화적인 환경을 고스란히 시골로 옮기고 그 속에 편히 앉아 농부(農夫)와 논과 밭과 시내와 산과 그 위에 뜨는 달을 바라만 보려는 게 아닐는지.

흙의 비밀, 흙의 생산성과 사귀기 위해 수고할 각오 없이 다만 시골로 가서 땅집 짓고 발로 흙을 밟고 싶다는 나의 속들여다 뵈는 허위야말로 가소롭다. 편리의 중독을 끊지 못하는 한 어디 간들 땅이 발 밑으로부터 멀긴 마찬가지일 게다.

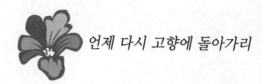 언제 다시 고향에 돌아가리

이제 나는 금의환향을 꿈꾸지 않는다.
초라하고 표표한 나그네 되어서라도 좋으니
고향산천을 생전에 한 번 스쳐 지나갈 수만 있어도 좋겠다.

언제 다시 고향에 돌아가리

　해마다 세모가 되면 우선 상가가 대목을 만난다. 성탄절을
전후한 양력 연말에는 백화점과 명동 일대가 호경기를 누리고
음력 섣달 그믐께는 시장이나 대도상가, 평화상가 등이 흥청거
리는 것도 해마다 변함이 없다. 호경기를 구가할 때도, 불경기
라고 울상일 때도, 이중과세하지 말기 운동이 우세할 때도, 음
력설을 공휴일로 하자는 여론이 비등할 때도 이런 대조적인 현
상에 이떤 변화가 있었던 것 같진 않다.
　우리집은 철저하게 양력과세 한 번으로 일관하고 있다. 시댁
쪽 대소가와 친정도 다 그렇게 하고 있기 때문에 양력설은 기분
이 안 나서 못 쇠겠다는 사람들의 기분에 아랑곳없이 우린 우리
끼리 기분도 충분히 내고 있다. 그렇지만 성탄절을 전후한 양력
연말에 고급상가가 지나치게 흥청대는 걸 보면 저항감이 느껴

지는 반면 음력 섣달 그믐께 대목 만난 시장을 보면 괜히 흥겹고 즐거워진다.

대도상가나 평화상가에서 털 달린 반코트를 입어보면서 맵시를 지나가는 사람에게까지 물어보는 소녀의 들뜬 표정이나, 노인네의 털 스웨터나 동생들의 양말을 고르는 가냘프고 착실한 손길을 보고 있으면 따뜻한 그 무엇이 가슴까지 차오르는 것 같으면서 불현듯 알지 못할 설렘에 휩싸이게 된다.

음력 세모의 시장에는 귀향 전야의 흥분과 인정이 있다. 안 먹고 안 입고 악착같이 적금을 붓고 저금통을 채우던 각 도의 또순이들이 주머니끈을 풀고 늙으신 어버이의 따뜻한 내복을 사고, 어린 동생들의 때때옷과 김과 북어를 산다. 애당초 주머니끈이란 풀기가 잘못이었던가. 사고 싶은 게 많기도 하여라. 자기 몸치장도 그럴듯하게 하고 싶다. 이럴 때 서울 와서 고생한 보람에 광을 내지 않고 언제 낼 것인가. 이왕이면 금의환향이고 싶다. 그 꿈으로 하여 도시의 온갖 고초와 수모가 오히려 낙이었거늘. 귀향의 흥분에 이런 순진한 허영까지 가세해서 세모의 시장은 붐비고 또 붐빈다.

넌 언제 다시 고향에 돌아가리. 세모의 활황(活況) 속에서 나는 문득 기적소리를 환청하며 이렇게 중얼거려 본다.

고향에 가본 지는 오래건만 귀향 전야의 설렘은 어제런 듯 생생하다. 어머니의 허영까지도.

우린 처음에 서울에 와서 참 어렵게 살았었다. 시골뜨기 티를 못 벗고 늘 위축돼 있었다. 그러나 방학해서 고향에 돌아갈 무렵만 되면 어머니는 꼭 엉뚱한 짓을 하셔서 나를 서울아이로 급조(急造)하려 드셨다. 여름방학 땐 야시장에서 옷감을 끊어다가 어머니가 손수 원피스를 만들어주셨다.

그 모습이 어떠했는지는 잘 생각나지 않지만 내가 양장을 해보기도 그게 처음이거니와 어머니가 양장바느질을 하신 것도 그게 처음이었으니 그 꼴이 필시 꼴불견이었으리라. 그러나 그게 그때의 우리 처지로서 할 수 있는 최대의 금의귀환이었다.

겨울방학이 되자 어머니는 차마 오버를 손수 만들진 못하셨다. 시골서 올라올 때 입었던 두루마기를 그대로 입혀주신 대신 친척집에서 얻어온 스케이트를 어깨에 메주셨다. 어머니는 아마 내가 시골 가서 그걸 제대로 탈 수 있길 바랐다기보다는 그걸로 도시적인 멋을 낼 수 있기를 더 바라셨음직하다.

나는 그걸 메고 의기양양 귀향을 했다. 그래도 나는 그걸 단순한 멋으로서가 아니라 탈 수 있기를 벼르고 있었다. 그 전에 나는 서울아이들이 그걸 타는 걸 딱 한 번 구경한 적이 있는데 참으로 신기한 요술이었다. 그때까지 나는 그걸 배우고 연습해야 그만큼 타게 된다는 걸 몰랐었다. 그런 요술은 스케이트라는 날[刃]이 달린 이상한 신발만 신으면 저절로 부릴 수 있게 되는 줄 알았다.

고향에 내려간 다음날 나는 자신있게 얼음판으로 나갔다. 얼음판은 도처에 있었지만 나는 나의 묘기를 될 수 있는 대로 널리 과시하기 위해 아이들이 가장 많이 모여서 썰매를 타고 있는 논으로 나갔다.

그러나 스케이트를 신고 간신히 일어선 나는 얼음을 지치기는커녕 서 있을 수도 걸을 수도 주저앉을 수도 없는 난처한 처지에 빠지고 말았다. 썰매를 타던 마을아이들이 큰 구경거리를 만난 것처럼 에워싼 가운데서 나는 울상을 하고 온몸으로 제자리 춤을 추고 있었다.

바로 우리집 사랑채에서 빤히 바라보이는 논에서의 일이었다. 집에서 머슴이 경정경정 뛰어나왔다. 나는 스케이트란 요상한 구두를 신은 채 머슴의 등에 업혔다. 나는 뭐라고 앙탈을 하면서 들입다 머슴의 등을 두드렸던 것 같다. 그러나 결박짓듯 단단하게 나를 업은 머슴의 굳센 팔은 꿈틀도 안했다.

머슴은 나를 사랑마루에 내려놓더니 스케이트 먼저 벗겨주면서 어서 할아버지한테 들어가 보라고 했다. 그때 머슴의 얼굴을 스친 연민의 빛으로 보아 나는 내가 심상치 않은 일을 당하리라는 걸 예감했다. 그러나 거긴 지엄한 사랑마루였다. 이미 당하게 돼 있는 걸 모면할 여지는 전혀 없었다. 거기선 잔꾀나 앙탈이 통해본 적이 없다는 걸 나는 경험으로 알고 있었다.

안에선 할아버지의 노기 띤 헛기침 소리가 들렸다. 나는 조심스럽게 사랑 미닫이를 열고 안으로 들어갔다. 미처 할아버지 앞에 꿇어앉기도 전에 할아버지의 긴 장죽이 내 정수리에서 사정없이 작렬했다.

「이런 고얀 놈을 봤나. 서울로 신식공부하러 간다더니 기껏 배워가지고 온 게 덕물산(德物山) 무당의 작두춤이냐 뭐냐? 그 해괴한 짓거리가. 어허 해괴한지고……」

할아버지의 이런 장탄식을 들으며 나는 울고 웃었다. 정수리에서 불이 붙는 것 같은 통증에도 불구하고 복받치는 웃음을 참느라 어금니를 고통스럽게 악물어야 했다.

스케이트를 덕물산 무당의 작두춤에 비유하는 할아버지의 빈약한 상상력이 그렇게 우스웠다. 할아버지에다 대면 나는 대도시에서 얼마나 많은 것을 보고 들었나, 감히 그렇게 생각하고 있었다.

그 앞에선 오금을 못 펴도록 위엄으로 군림하시던 할아버지를 속으로지만 그렇게 만만하게 여기긴 그때가 처음이었다.

어머니가 애써 겉으로 서울아이 티를 내주시지 않아도 나는 속으로 그렇게 서울아이가 돼 있었던 것이다.

그게 여덟 살 적 일이니 벌써 40여 년 전 일이다. 이제 나는 금의환향을 꿈꾸지 않는다. 초라하고 표표한 나그네 되어서라도 좋으니 고향산천을 생전에 한 번 스쳐 지나갈 수만 있어도 좋겠다.

제3부
여행의 향기

2박 3일의 남도기행

이름 없이 살다 간
백성들의 한 많은
사연들이 서리서리
머무는 곳이
우리의 강산이다.
바로 그런 자연의
정기가 지나가는
나그네의 심금을
흔들고, 고향 떠난
이를 죽어서도
뼛골이라도 묻히고
싶도록 끌어당기는 힘이
되는 것이 아닐까.

2박 3일의 남도기행

작년 가을이었다. 시골 바람을 쐬러 가자는 친구가 있었다. 시골 바람이란 소리가 어찌나 듣기 좋던지 선뜻 그러자고 했다. 어디를 언제 어떻게 갈 것인가는 묻지 않았다. 그 친구가 다 알아서 해주려니 믿는 마음에서였다. 그 전에도 가끔 그 친구로부터 그가 가본 고장 얘기를 들은 적이 있는데 정말 그렇게 좋은 고장이 이 땅에 있는 것일까 싶게 비현실적으로 들렸던 것도 한번 따라가보고 싶은 유혹이 되었다.

나에게 시골이란 말은 고향과 거의 같은 뜻을 지니고 있다. 동산이 있고 개울과 시내와 논밭과 작은 마을과 두엄 냄새와 그리고 무엇보다도 땅 파는 사람들이 있는 곳이면 되었다. 그중 어느 하나도 유난스러울 필요는 없었다. 고향이 북쪽이라 못 가게 되고 나서도 관광이나 휴가라는 이름으로 여행을 한 적은 많지만 시골 맛을 본 것하곤 달랐다. 나에게 시골 맛이란 완전한 평화와 안식을 의미했다. 좋은 계절 골라잡아 이름난 휴양지나 명승 고적을 찾아가서 사람에 부대끼고 나서 현지 사정이나 주머니 형편에 따라 민박이나 여관에 묵은 걸 시골 맛이라고 볼 수는 없었다. 더군다나 근래에는 세상도 좋아지고 내 경제 사정도 넉넉해져 호텔 아니면 콘도에 묵는다. 그렇다고 만약 나에게 시골에 사는 가까운 친척이 있어 거기서 묵을 수 있다면 귀향과 닮은 맛을 볼 수 있었을까. 아마 그래도 아닐 것이다. 관광지 주변과 고속도로나 국도 주변의 인심과 마을 풍경은 해마다 달라졌다. 그것이 근대화라는 것이었다. 도시 사람이 눈에 불을 켜고 돈과 편리를 추구하는데 농촌이라고 그러지 말란 법이 없었다. 다 같이 고루 잘살자는 데 불만을 품는다면 그야말로 도둑놈의 배짱이 아니고 무엇이랴. 그렇게 농촌의 발전을 긍정하면서도 도시의 간교함과 농촌의 촌스러움을 조잡하게 뒤섞어놓은 것처럼 어중간한 시골 인심에 접하는 것은 민망하고도 피곤한 일이었다. 국토는 좁고 인구는 많고 어느 한 군데 도시인이 휘젓고 다니지 않은 데가 없는데 오염 안된 시골이란 환상에 지나지 않았다. 소위 경제발전이란 명목으로 기를 쓰고 잘살기만을 추구하다가 문득 무슨 속죄의 의식처럼 전혀 발전이 안된 시골을 꿈꾼다는 것 자체가 얼마나 사치롭고도 아니꼬운 도시 중심적인 사고인가. 농촌을 대상화하지도 말아야겠지만 속죄양을 만들어도 안된다는 생각으로 어디에도 이제 고향은 없다는 상

실감을 달랠 수밖에 없었다.

친구와 약속한 날은 하필 토요일이었다. 토요일 오후의 서울역 혼잡을 무엇에 비길까. 기차도 타기 전에 어질어질 멀미가 났다. 멀미 중 사람 멀미가 제일 고약한 것은 평소 자신에게 있다고 믿었던 인류애니 인도주의니 하는 것이 실은 얼마나 믿을 게 못 된다는 자기혐오 때문일 것이다. 그래도 친구가 예매해놓은 기차표는 새마을호였다. 친구 말에 의하면 철저하게 서민적인 여행을 하려고 했는데 마침 목포행 새마을호 표를 예매해놓고 못 갈 사정이 생긴 부부로부터 표를 넘겨받을 수가 있어서 뜻하지 않게 호화 여행을 하게 되었노라고 했다. 호남선은 새마을호가 생긴 지도 얼마 안되고 또 하루에 한차례밖에 운행을 안 하기 때문에 표 구하기가 하늘의 별 따기라고도 했다. 새마을호가 호화스러워서가 아니라 표 구하기 어려움 때문에 우리 나들이가 호화 여행이 된 모양이었다.

그러나 송정까지만 호화 여행을 하고 나서 광주로 가 1박하고 다음날 해남 대흥사 일지암에서 1박하고 다시 광주를 거쳐 서울로 돌아오기까지는 순전히 시외버스와 시내버스를 이용했다. 친구의 잘못이었는지 고의였는지 광주에서 해남까지의 장거리 직행버스도 못 타고 수도 없이 정거하는 시외버스를 타게 됐다. 그러나 그동안이 그렇게 좋을 수가 없었다. 조금도 예기치 못한 일이었다. 내가 지금까지 해온 여행은 과정을 무시한 목적지 위주의 여행이었다. 그게 얼마나 바보 여행이었던가를 알 것 같았다. 어디를 가기로 정하면 먼저 될 수 있는 대로 빨리 갈 수 있는 교통편을 강구하고 가면서 통과하게 되는 고속도로나 국도변의 풍경은 가능한 한 빨리 스치는 게 수였다. 공업화·산업화·관광지화를 꿈꾸거나 이미 이룩한 지방들은 자연도 인심도 도시의 변두리일 뿐 순전한 시골은 어디에도 남아있지 않았다.

휴가라는 명목으로 여행을 갔다오면 더욱 피곤하고 짜증스러워지는 것은 관광 인파와의 부대낌 때문만은 아니다. 가도 가도, 심지어 산간벽지까지도 골고루 걸레처럼 널려 있는 문명의 쓰레기와 상업주의 때문에 이 땅에서 도시적인 걸 벗어나는 건 불가능하다는 걸 인식한 어쩔 수 없는 결과였을 것이다.

마침 좋은 때였다. 설악산엔 단풍이 절정기라 했지만 이곳은 어쩌다 먼저 든 단풍이 드문드문 꽃보다 요염하게 타오르고 있을 뿐 전체적으로는 아직 푸르렀다. 그냥 지나치면서 보았을 뿐인데도 어딘지 범상하지 않게 보였던 것은 월출산뿐, 수없이 거친 산들이 그저 그만그만한 동산들이었다. 그러나 산마다 넓게 또는 수줍게 치맛자락을 펴서 평야를 거느리고 있지 않은 산이 없었다. 아무리 작은 동산도 품안의 들판을 보듬어 안고 물과 정기를 대주고 외풍을 막아주고 있는 것처럼 보였다. 산이 많고 사이사이에 평야가 옹색하게 끼여 있는 것은 조금도 새로울 게 없는 우리나라의 대체적인 지형이다. 곡창이라 일컫는 평야지대라 해도 좀처럼 지평선을 볼 수가 없지만 아무리 산간지방에서도 일굴 수 있는 밭 몇 뙈기는 있게 마련이다.

지역적인 차이가 있긴 하지만 이 나라 도처에 널린 산과 들과 물의 적절한 조화가 그날따라 마음에 스미듯 아름답게 느껴졌다. 감동이라고 해도 좋았고 개안이라 해도 좋았다. 어찌 이다지도 보기 좋을까. 평범한 시골이 마치 신이 정성을 다해 꾸민 정원처럼 보였으니 말이다. 나의 이런 감동에 친구가 찬물을 끼얹었다. 그 고장이 도시인의 마음을 사로잡을 수 있는 것은 그 고장이 개발에서 소외됐기 때문이라는 거였다. 그 말에도 일리는 있었다. 아파트도 공장의 굴뚝도 안 보이고, 문명의 쓰레기도 널려 있지 않은 순전한 시골이 거기 있었으니까.

그뿐일까. 분주하게 일하는 농사꾼들이 있었다. 가을걷이가 한창이었다. 시외버스는 포장도로의 길섶을 벼를 널어 말릴 수 있는 명석으로 내주느라 가운데로 조심조심 달렸기 때문에 마치 문명의 이기가 아닌 달구지를 타고 가는 듯한 기분까지 맛보고 있었다. 벼를 길에 넓게 펴 말리는 이나, 논에서 기계로 벼를 베는 이나, 탈곡기로 벼를 터는 이나, 일손들은 거의 중년의 아낙이나 할아버지 할머니들이어서 마음이 찐했지만 간혹 청년이 눈에 띄면 그렇게 반가울 수가 없었다. 우리는 하루가 멀다 하고 터지는 대형 부정과 온갖 비리, 그리고 흥청망청 먹고 마시고 쓰고 버리는 낭비와 사치, 그리고 속속들이 썩어 문드러져가는 부도덕에 거의 불감증이 돼버렸지만, 문득 이러고도 이 세상이 안 망하고 지탱해가는 걸 신기하게 여길 적이 있다. 그건 바로 저들 숨은 의인들 덕이 아니었을까? 나는 염치없게도 우리가 안 망하기 위해서는 의인들이 의인으로 길이 남아 있길 바랐다. 그러나 의인하고 속죄양하곤 다르다. 누가 시켜서 되는 것도 더군다나 경제발전에서 소외된 열등감으로 될 수 있는 건 아닐 것이다. 자유의사와 자존심 없는 의인을 생각할 수 없는 거라면 우리 모두가 의인을 알아보고 공경하고 의인의 땀의 결실을 무릎 꿇어 귀히 여기는 마음 없이는 의인의 소멸 또한 막을 수 없을 것이다. 후졌기 때문에 아름다운 이곳 농촌이 실은 뒤진 게 아니라, 먼저 발전했기 때문에 땅과 인심이 돈맛밖에 모르게끔 천박하고 황폐해진 타고장들이 장차 지향해야 할 미래의 농촌상이길 꿈꾸었다면 내가 너무 철없는 몽상가일까?

해남에서 다시 버스를 갈아타고 대흥사까지 갔지만 경내에 들어가진 않고 일지암으로 올라갔다. 발이 넓은 친구가 그 암자를 지키는 여연 스님과 연줄연줄로 아는 사이여서 그날밤 숙소는 그 암자로 우리 마음대로 정해놓고 있었다. 그 전날 밤 광주에서는 사제관에 묵은 생각을 하면 괜히 웃음이 났다. 사제관이라곤 하지만 서울의 큰 성당 사제관처럼 부잣집을 닮은 집이 아니라 방 두 칸짜리 작은 아파트였다. 신부님이 마침 시골 공소로 미사를 봉헌하러 출타중이시라 하룻밤 비어 있는 동안을 역시 친구의 친구의 주선으로 하룻밤 묵게 된 것이었다. 잠만 잔 게 아니라 아침엔 쌀독과 냉장고를 뒤져 밥까지 해먹고 떠났으니 무전취식에 이골이 난 무전여행이었다. 물론 일지암에서도 거저 얻어먹고 거저 잘 작정이었다. 낮에 음식점에서 돈 내고 사먹은 점심도 공짜로 나오는 게 훨씬 푸짐하고 맛있었다. 값싼 비빔밥을 시켰는데 웬 진한 갈비탕이 한 대접 나왔다. 잘못 나온 줄 알았더니 먼저 속을 풀라고 그냥 주는 거라고 했다. 한참 시장할 때였고 맛도 좋은 데다가 공짜라는 바람에 어찌나 허겁지겁 먹어 치웠던지 주인이 큰 양푼에다 국을 가득 더 푸고 국자를 꽂아다가 상 한가운데 놓아주고 갔다. 구이나 찜을 할 만하진 않았지만 힘줄과 살이 넉넉히 붙어 있는 갈비 건더기도 듬뿍 들어 있었다. 그 별나게 후한 음식 인심 때문에 유일하게 돈 내고 먹은 끼니조차 꼭 마음씨 좋은 친척집에서 받은 대접처럼 흐뭇한 기억으로 남아 있었다.

대흥사에서 일지암까지 거리상으로는 얼마 안됐지만 오르막 길이라 근래에 등산을 해보지 않은 내 걸음 실력으로는 상당히 힘이 들었다. 가끔 나오는 8백 미터니, 5백 미터니 하는 이정표가 꼭 나를 속여먹는 것 같았다. 구두를 신고 온 것도 나의 등산을 힘겹고 꼴불견으로 만들었다. 그러나 허위단심 도달한 일지암의 단순 소박한 꾸밈새와 주인이 있으면서도 없는 듯한 적요는 우리를 말없이 감싸안는 듯했다. 조선 후기의 고승이자 다도의 정립자이기도 한 초의(草衣) 선사의 당호인 일지암은 그러나 복원한 것이지 초의 선사 때 것은 아니라고 했다. 여연 스님의 자상한 설명에 따르면 고건축에 애정을 가진 건축가가 초의 선사가 남긴 문집을 통해 당시의 일지암을 세심하게 고증해서 복원했을 뿐 아니라, 나무 한 그루의 위치까지도 일상의 상념과 정경을 남긴 문집에서 미루어 짐작해낼 수 있는 한도 내에서 최선을 다해 있던 자리에 있도록 했다는 것이었다. 스님의 말씀을 그대로 믿어도 될 것 같았다. 일지암은 복원한 건축물에서 흔하게 볼 수 있는 천격스러운 현대적 가미가 거의 눈에 띄지 않았다. 건축이라기보다는 거기 돋아날 수밖에 없어서 돋아난 버섯처럼 천연덕스럽고도 아무렇지도 않게 자연의 일부가 돼 있었다.

초의 선사는 그의 저서 『동다송(東茶頌)』에서 좋은 물을 얻어야 좋은 차를 달일 수 있음을 체(體)와 신(神)의 조화에 비유했다고 한다. 체란 물을 말하고 신이란 차를 가리킴으로 차는 물의 정신이 된다는 뜻이 된단다. 그러니 일지암에 어찌 좋은 차나무와 맑은 샘물이 없겠는가. 우리는 초의 선사 때의 샘물에 목을 축이고 세수까지 했다. 달고 청량한 샘물이 몸과 정신을 상쾌하게 했다. 뜰의 차나무에는 차꽃이 드문드문 피어 있었다. 곡우 입하 무렵에 차를 딴다는 소리는 들었어도, 차꽃이 가을에 핀다는 건 처음 알았다. 그러나 지금이 개화기라는 느낌보다는 몇 송이씩 오랫동안 연달아 피고 지는 게 아닌가 싶게 수적으로 많지 않았고, 오히려 열매를 맺은 가지가 더 많았다. 검푸른 잎 사이에 숨어 있어서 그런지 희다 못해 푸르름이 도는 고상하고 그윽한 꽃이 향기는 현란한가. 벌이 떼로 모여들어 잉잉대는데 하나같이 풍뎅이만큼 큰 벌이었다. 그 큰 벌들이 꽃에 앉기 전에 마치 아양을 떨듯이 꽃 위를 맹렬하게 선회하는 날갯짓을 가만히 들여다보고 있으려니 집에서 오디오에 은빛 콤팩트 디스크를 얹고 뚜껑에 달린 조그만 유리 구멍으로 들여다보는 것 같은 느낌이 들었다.

스님이 마루 위에서 차를 권했다. 초의 선사 시절부터 내려오는 물과 차라고 생각하니 황공하고 그 격식 또한 얼마나 엄엄할까 싶어 나는 지레 몸이 굳었다. 스님은 그러지 말고, 편안히 자기식대로 마시라고 시범을 보여주었다. 스님의 무엇에도 구애됨이 없는 활달한 모습이 우리를 마음놓이게 했다.

공양주를 두지 않고 스님 혼자 거처하시는 암자라 친구가 부엌에 들어가 스님과 함께 저녁을 지었다. 나는 텃밭으로 내려가 고추를 땄다. 어려서부터 빨간 고추만 보면 참을 수 없이 따고 싶은 버릇이 있다. 미처 종댕이를 차고 나가지 않았을 때는 거침없이 치마폭에다 하나 가득 따 담아와 엄마한테 야단을 맞곤 했었다. 바지를 입고 가 그럴 수는 없었지만 수확의 기쁨은 여전했다. 아쉽게 엷어지는 햇살을 등에 지고 고추를 따면서 아릿하고도 감미로운 향수에 젖었다. 넓지 않은 텃밭에 여러 가지 푸성귀를 심어놓아 고추는 한 고랑밖에 안됐지만 새빨간 고추를 조그만 소쿠리로 하나 가득 따 담을 수가 있었다. 그러나 지금 아무리 빨간 고추는 하나도 안 남기고 다 딴 것 같아도 내일 이맘때면 고추밭은 또 오늘만큼 빨긋빨긋해지리라. 먼저 거둔 고추가 가득 널린 툇마루에 내가 딴 한 소쿠리의 고추를 보태면서 옛날 우리 할머니 말씀이 생각났다. 할머니는 기도 같은 건 하실 줄 몰랐지만 「그저 땅이 화수분이란다」라는 소리를 잘 하셨고, 그럴 때마다 경건한 얼굴이 되곤 하셨다. 저녁 반찬에 보태려고 고춧잎도 연한 걸로 골라서 좀 땄다. 반찬은 소박했지만 저녁밥은 꿀맛이었다.

손님을 위한 별채에는 벌써 불을 때놓아 구들이 뜨끈뜨끈했다. 장작을 지핀 구들장에 허리를 지져보기는 실로 몇 해 만인가. 오늘의 피로뿐 아니라 온갖 신산한 인생고까지 감미롭게 녹아내리는 것 같았다. 다만 근심이 있다면 밤에 측간에 가고 싶으면 어쩌나 하는 것이었다. 손님방에서 측간까지는 작은 연못과 일지암을 거쳐 텃밭머리를 지나야 하는 험난한 길이었다. 그러나 다행히도 구들장이 식어가고 있다는 아쉬운 느낌 때문에 잠에서 깨어났을 때는 아침이었다. 꿈 없는 숙면이었다. 심신이 날아갈 듯 홀가분했다. 친구와 함께 찬물에 세수하는 동안 일지암 쪽에선 인기척이 없길래 친구하고 둘이서만 산책을 나갔다. 길이 난 데로 걸어가다 보니 우리가 묵었던 손님방과 비슷한 규모의 정자가 또하나 나타났다. 정자에 오르니 두륜산의 늠름한 연봉과 깊은 계곡이 한눈에 들어왔다.

어느 틈에 스님이 옆에 와 계셨다. 우리가 먼저 일어났다고 생각했는데 아니었나 보다. 스님이 북쪽에 솟은 험준한 봉우리를 가리키며 저 산 너머 또 몇 겹의 산 너머가 다산 정약용이 오랜 유배생활을 하던 강진이라고 했다. 다산과 초의의 신분을 초월한 우정은 갖가지 아름다운 일화를 남기고 있었다. 그러나 스님의 설명으로 다산이 초의가 달인 차맛이 생각날 때마다 밤이건 낮이건 가리지 않고 넘어왔다는 험준한 산을 눈앞에 바라보는 감회는 각별했다. 어떻게 단지 차를 마시기 위해 저 높은 산을 넘을 수가 있었을까. 믿을 수 없는 일이었다. 그러나 다산을 산 넘어 또 산, 고개 넘어 또 고개를 넘게 한 게 어찌 차맛뿐이었겠는가. 청아한 인품과 고담준론에 대한 갈증이 태산도 높은 줄 모르게 했으리라. 다산이 넘었다는 산빛이 별안간 달라보인 건 밝아진 햇빛 때문만이 아니었다. 뛰어난 영혼, 빛나는 영혼이 교감하고 머물다 간 자취 때문이었으리라. 자연은 위대한 영혼을 낳기도 하지만 위대한 영혼 또한 자연의 정기가 되어 자연을 빛나게 한다. 정기가 없는 자연은 그냥 경치일 뿐이었다. 경치는 아무리 좋은 경치라 해도 눈으로 보는 것으로 족하지 마음속으로 스며오진 않는다.

나는 다산이 넘었다는 크고 험한 산을 눈앞에 보는 것만으로 전율에 가까운 행복감을 느꼈다. 그리고 어제 거친 산천이 그리도 유정했던 까닭을 알 것 같았다. 어찌 위대한 영혼뿐이랴. 이름 없이 살다 간 백성들의 한 많은 사연들이 서리서리 머무는 곳이 우리의 강산이다. 바로 그런 자연의 정기가 지나가는 나그네의 심금을 흔들고, 고향 떠난 이를 죽어서도 뼛골이라도 묻히고 싶도록 끌어당기는 힘이 되는 것이 아닐까.

그날 하산해서 다시 광주에 들렀다. 전날 사제관을 숙소로 내준 신부님을 처음으로 만나 뵙고 어려운 부탁을 드렸다. 망월동 묘지에 한 번도 못 가본 게 나에게는 숙제처럼 부끄러움처럼 남아 있었다. 누가 시켜서도 불러서도 아니었다. 그냥 그랬다. 신부님이 손수 운전하는 차로 처음으로 그곳에 몇 송이의 꽃을 바칠 수가 있었다. 가장 어린 죽음 앞에는 따로 준비해간 붉은 장미 몇 송이를 바쳤다.

광주로 돌아나오면서 송강 정철의 시비가 있는 공원도 들르고 느닷없이 내리는 소나기를 맞으며 광주 호반에서 무등산을 바라보기도 했다. 무등산을 처음 보는 건 아니었다. 몇 해 전에도 광주 시내에서 무등산을 바라본 적이 있었다. 그저 그런가보다 덤덤히 바라보았었다. 그러나 인적 없는 광주 호반에서 무등산을 바라보니까 전혀 달라보였다. 그 또한 그 산이 굽어본 숱한 사연 때문일 것이다. 나는 그때 그 좋은 경치를 몰라보고 일본 비와호(湖) 유람선상에서 후지산을 바라보면서 천하의 절경처럼 탄성을 지른 나의 천박한 관광여행을 돌이켜보면서 심한 부끄러움을 느꼈다.

어찌 일본 여행뿐일까. 80년대 초에 처음으로 유럽 구경을 해보고 나서 나는 그쪽 문화뿐 아니라 그쪽 농촌의 풍요한 아름다움에 거의 경도돼 있었다. 그 후엔 순전히 나 개인적인 마음 고통의 돌파구로서 자주 그쪽을 여행할 기회를 만들었지만 여직껏 어떤 지면에도 기행문 비슷한 것도 쓴 적이 없다. 그쪽 것에 경도된 마음은 우리의 초라한 문화와 엉망으로 훼손되고 오염된 자연에 대한 혐오감과 표리를 이루고 있었기 때문에 섣불리 남 앞에 드러내기가 싫었던 것이다. 그러나 우리 것에 대한 이 정도의 개안이라도 할 수 있었던 것도 생각해보면 여행 덕이었다.

미국은 뭐 볼 게 있을까 싶어 별로 가보고 싶어하지 않았는데도 거기 사는 딸 때문에 두 번씩이나 가보게 되었다. 처음에 가보고 놀란 건 과연 잘사는 나라구나 하는 거였다. 딸네가 잘사는 것도 아니고 물론 부자 동네도 아니었는데 잘산다는 걸 실감한 건 그 풍부한 종이와 일회용품의 씀씀이 때문이었다. 공공장소에서나 집에서나 새하얗고 부드러운 휴지가 지천이어서 아이들이 콧물만 좀 흘려도 서리서리 아낌없이 풀어내는 것 하며, 기저귀 하나도 안 빨고 아이들을 기르는 것 하며, 소풍 갈 때뿐 아니라 설거지하기 귀찮을 때마다 아낌없이 내 쓰는 일회용 식기 하며, 어느 하나 그 편리함과 풍족함이 놀랍지 않은 게 없었다. 천 달러 미만의 장학금으로 사는 유학 살림이 이러니 부자는 도대체 얼마나 잘살까 상상이 안됐고, 그 넓은 땅의 일부를 며칠 여행해보고 더 질리게 됐다. 면화밭이면 면화밭이, 오렌지밭이면 오렌지밭이 온종일 달려도 끝이 안 보이게 계속되면서 사람의 그림자는 하나도 안 보인다. 땅에 떨어진 오렌지나 레몬이 누렇게 땅을 덮어도 줍는 사람 하나 없다. 정원수로도 오렌지 나무는 흔해 빠졌다. 채소밭이나 편편히 노는 땅의 광활함도 재 너머 사래 긴 밭을 언제 갈려 하느냐는 우리의 상상력을 초월한다. 넓이가 그쯤 되면 그건 인력의 몫이 아니라 기계의 몫이라는 게 쉽게 수긍이 간다. 과연 모든 사람이 그 정도 낭비해선 끄떡도 없는 나라구나 싶었다.

그게 불과 몇 년 전인데 최근에 다시 한번 미국에 갈 기회가 있었다. 가서 또 한번 놀란 것은 그들이 그동안에 더 잘살게 돼서가 아니었다. 그들의 종이와 일회용품의 낭비가 이젠 조금도 놀랍지 않은 나 자신에게 놀라고 만 것이다. 그들은 그대로인데 우리의 소비 수준이 그동안에 그들과 거의 맞먹어 그들 사는 게 조금도 신기하지 않았다. 나는 자주자주 거기가 미국이라는 걸 잊어버렸다. 그동안 수입이 배가 된 딸네가 되레 더 쩨쩨하게 굴 때마다 아아, 여기가 참 미국이지 하고 겨우 깨달을 정도였으니까 우리가 그동안 얼마나 통 큰 부자가 됐나 알 만했다. 우리는 정말 그렇게 부자인가. 기죽게 그 흔한 국민소득 비교할 거 없이 그동안 수단 방법 가리지 않고 열심히 벌었으니 한번 본때 있게 써보는데 누가 뭐랄 거냐는 배짱도 좋다. 하긴 그런 배짱이 오늘의 경제발전을 이룩했다고도 볼 수 있다. 개같이 벌어서 정승같이 쓰란 말도 있다. 그러나 누울 자리 보고 다리 뻗으란 말도 있다. 아무의 눈치도 볼 거 없다 해도 자연의 눈치만은 봐야 하는 것은 인간의 최소한의 법도다. 흐르는 큰 강물에는 양심의 가책 없이 오줌을 갈길 순 있지만, 하루 한 통이나 고일까말까 한 웅달샘물에 오줌을 누는 것은 짐승만도 못한 것이다.

나라마다의 문화와 생활양식은 그 나라의 자연환경의 산물임은 말할 것도 없다. 지구가 한가족처럼 좁아지고 코즈모폴리턴을 자처하는 사람도 늘어난다. 나쁘지 않은 일이다. 이 나라가 답답하면 넓게 살 수 있는 방법도 다방면으로 열려 있다. 그러나 이 나라에서 몸담아 사는 한은 이 나라의 자연과 더불어 살지 않으면 안된다. 이 나라의 자연처럼 아기자기하게 아름다운 자연은 지구상에 어디에도 없다. 신이 온갖 좋은 것을 다 모아다가 공들여 꾸민 정원 같다. 하나도 넘치게 준 게 없이 다만 조화롭게 주었을 뿐이다. 거기 몸담고 사는 사이에 인성 또한 근면 절약하지 않고는 먹고 살기 힘들게, 협동하고 배움에 힘쓰지 않으면 나라를 보전할 수 없도록 형성됐다. 이런 고상한 인품이야말로 어떤 풍요보다 은혜로운 자연의 혜택이다. 가장 후졌다는 시골이 보석처럼 빛나 보였던 것도 인간과 자연의 그러한 그지없이 아름다운 조화 때문이 아니었을까.

이번 미국 여행 중 요상한 악몽처럼 남아 있는 라스베이거스 얘기로 이 두서 없는 중언부언을 마무리해야겠다. 라스베이거스는 누구나 알다시피 도박과 환락의 도시다. 그러나 미국은 워낙 땅덩이가 크니까 이런 환락가도 저 멀리 네바다 사막 한가운데다 격리를 시켜놓았다. 도무지 인가가 나타날 것 같지 않게 끝도 없이 계속되는 사막을 달려 라스베이거스에 당도했을 때는 밤이 이슥할 무렵이었다. 멀리서도 하늘이 온통 오렌지빛으로 물들어보일 정도로 그 도시의 전기불빛은 현란했다. 도시가 온통 깜박이고 돌고 춤추는 요상하고 휘황한 불빛으로 돼 있어서 정신이 돌 것 같았다. 얼이 빠진 김에 슬롯 머신에다가 25센트를 있는 대로 처넣는 짓거리까지 해보았다. 다음날 아침 맨정신으로 네온의 불빛 대신 햇빛에 드러난 이 도시를 바라보는 느낌은 참혹했다. 도깨비에 홀렸다 깨어나도 이보다 더 황당하지 않으리라. 아무리 호화 호텔도 외부에 얽히고설킨 불 꺼진 네온의 잔해 때문에 폐허처럼 보였다. 도시 둘레는 풀 한 포기 안 나는 사막이고 라스베이거스는 그 한가운데 서 있는 추악한 폐허에 불과했다. 어리둥절한 황당감이 가시자 공포감이 엄습했다. 우리가 조금 잘살게 됐다고 자본주의의 악의 꽃만 들입다 수입해다 정신없이 즐기다가 어느날 문득 불빛이 사위어 주위를 돌아보았을 때 사막화된 황무지 한가운데 서 있을지도 모른다는 불길한 예감 때문이었다.

한겨울의 출분(出奔)

살림에 싫증이 나다
못해 가족을 위해
반찬 걱정하는 것조차
싫어지면 그때는
미련 없이 떠나는 게 수다.
남이 해다 주는 밥을
먹어보는 게, 10년
20년 열심히 살림을
살고 난 여편네의
최대의 소망이라는 걸
숨기거나 부끄러워할
필요는 없다.

한겨울의 출분(出奔)

　살림이라는 걸 누구보다도 사랑하고 애지중지 가꾸어온 여편
네에게도 가끔은 생활의 권태가 오게 마련이다.
　어쩌면 너무 애지중지했기 때문에 싫증이 나면 그만큼 걷잡
을 수 없는지도 모른다.
　마치 지나치게 탐탁했던 음식에 식상(食傷)을 하기 시작하
면 걷잡을 수 없는 것처럼.
　전에는 꽤 여행을 좋아하는 편이었는데, 근래는 왠지 점점
집 떠나는 일에 신명이 나지 않고 뜨악하고 시들해진다. 어디를
가도 내 집 구석처럼 편하지 못하다.
　여행이라기보다는 거의 고통스러운 의무처럼 돼 있는 바캉스
라는 것도 근래 몇 년은 가지 않았다. 갈까말까를 망설이지조차
않았다. 이런 나를 가리켜 아이들은 엄마도 늙었다고 한다.

그런 내가 작년에도 그랬고 올해도 그랬고 꽤 긴 여행을 다녀왔다. 꽃 피는 봄도, 단풍 드는 가을도, 다 집 떠나는 여름도 아닌 엄동설한에. 엄동설한 중에서도 얌전한 여편네라면 마땅히 갔던 나들이에서도 돌아와 설 준비를 해야 할 세모(歲暮)에.

미지의 땅에 대한 유혹이라기보다는 갑자기 발작적으로 엄습한 살림이라는 것에 대한 싫증을 감당하지 못해 덮어놓고 떠날 수밖에 없었던 것이다.

이런 싫증은 처음부터 생활 자체를 대상으로 하지는 않는다. 내가 움직일 수 없는 내 생활권 밖의 것으로부터 오기 시작한다.

내 집에서 너무 가까운 곳에 설치된 마이크 소리에 신경줄이 끊어질 것처럼 피곤한가 하면, 신세계 앞에서 시청 앞까지 빤한 거리를 가기 위해 사람의 다리를 최대한으로 모욕하고 혹사하고 약오르도록 꾸며진 도시적인 불합리에 새삼스럽게 분통이 터지기도 한다.

어디를 가나 많은 사람, 사람, 또 사람에 멀미를 느끼기도 한다. 사람에 대한 이런 멀미는 차멀미보다 고약해서 외출할 일을 미리 겁내기까지 한다.

이런 싫증은 차츰 내 생활권으로 압축돼온다.

이렇게 되면 이유도 없이 우울해지면서 일이 손에 잡히지를 않는다. 모든 일이 싫어지고 짜증이 난다.

무슨 놈의 일이, 집에 일귀신이라는 게 있어 사람들이 모두

잠든 사이에 부지런히 일을 마련해 쌓아놓고 날이 새면 도망이라도 가는 것처럼 자고 깨면 태산같이 쌓여 있다. 밤에 아무리 늦도록 그날의 일을 말끔히 끝내고 자도, 내일 아침이 되면 내일 할 일이 어김없이 기다리고 있다.

오늘의 태양이 져도 내일은 다시 내일의 태양이 떠오르는 것만큼이나 틀림이 없다.

이렇게 일에 싫증이 나기 시작하면 우선 연탄불을 자주 꺼트리는 일이 일어난다.

다음엔 방에 들여놓은 화분에 며칠씩 물을 안 준다. 얼어죽든지 말든지 마음대로 해라, 사람 시중들기도 귀찮아 죽겠는데 말 못하는 네 까짓거 말려죽인들 대수냐 싶게 심통스러워진다. 도대체 화초 따위를 상대로 심통을 부려서 어쩌겠다는 건지 알 수가 없다.

다음은 장보기가 싫어진다. 맨날 보는 장, 그게 그건 것 같다. 상품은 빈약하고 장사꾼은 속 다르고 겉 다르다. 단골인 줄 알고 믿고 있으면 어느 틈에 우습게 보고 사람을 속여 먹는다.

쇠고기는 요새도 물을 먹여 잡는지 비싸기만 하지 맛은 없어서 짜증이 나고, 뻣뻣하게 언 생선을 사자니 만지기가 싫고, 야채는 씻고 다듬기가 번거롭고, 가공식품은 모조리 불량식품 같은 의심 먼저 들고―, 시장을 돌고 돌아도 사고 싶은 게 없다.

에라 모르겠다. 김치는 됐다 뭐 하나 이럴 때 먹자, 하고 애꿎은 김치나 족친다. 김치로 찌개도 하고 국도 끓이고 부침질도 한다.

그 다음에 최악의 사태가 온다.

그나마의 무성의한 반찬 걱정도 하기가 싫은 것이다. 반찬 걱정만 며칠 안하고 지낼 수 있으면 살이라도 토실토실 찔 것 같다.

좀더 솔직히 말하면 남이 해다 준 밥이 먹고 싶은 것이다.

남편들이 자기의 아내를 비하할 때 쓰는 말로 〈밥데기〉란 말이 있다. 참 듣기 싫은 말이지만 남편들은 아내를 〈우리집 밥데기〉라며 얕잡는다. 밥짓는 게 여자의 유일한 천직(天職)임을 남자들은 의심하지 않는다.

이런 밥데기가 느닷없이 자기의 천직에 대해 회의를 품기 시작하면서 분수없이 남이 해다 준 밥이 먹고 싶은 것이다.

이런 소망은 집에 밥하는 사람이 있고 없고에 상관이 없다. 아무리 집에 밥해주는 사람이 있어도 주부가 오늘 저녁 반찬은 뭘로 할까 하는 걱정으로부터 놓여날 수 있는 건 아니니까.

살림에 싫증이 나다 못해 가족을 위해 반찬 걱정하는 것조차 싫어지면 그때는 미련 없이 떠나는 게 수다.

남이 해다 주는 밥을 먹어보는 게, 10년 20년 열심히 살림을 살고 난 여편네의 최대의 소망이라는 걸 숨기거나 부끄러워할 필요는 없다.

그까짓 소망도 못 풀 게 뭔가. 남이 해다 주는 밥이 별건가. 여관밥이면 됐지 하고 떠나는 게 수다.

이렇게 한번 마음먹으면 여관밥의 유혹은 감미롭기조차 하다. 여관밥을 먹기 위해 1년 동안 충실히 종사해온 식사당번을 미련 없이 남에게 떠맡긴다.

이런 걷잡을 수 없는 생활의 권태가 작년에도 세모에 오더니 올해도 어김없이 세모에 왔다.

1년이란 지구의 공전주기(空轉週期)도 되지만 나에겐 정신의 신진대사의 주기도 되는 모양이다.

남들은 1년 동안 신세진 분, 사랑하는 이한테 선물을 사고 연하장을 쓰느라, 가족의 즐거운 설맞이를 위해 새 옷과 맛난 음식을 장만하느라, 손님을 초대하기 위해 방을 꾸미고 몸단장을 하느라, 보통 때보다 몇 배나 바쁘고, 보통 때보다 몇 배나 더 살림 재미가 날 시기에 나는 살림의 번거로움을 떠나기 위해 지도를 뒤적였다.

최초의 목적지는 부여였다. 하고많은 명승 고적이나 관광지 중에서 부여를 골라잡은 데 특별한 이유는 없었지만 억지로 이유를 붙이려면 같은 고도(古都)이면서도 경주(慶州)처럼 화려하게 단장하고 사람들을 불러들일 줄 모르는 게 마음에 들었다고나 할까. 부여란 어감은 또 얼마나 겸손하고 부드러운가.

나도 왕년엔 영화로운 왕성이었노라고 내세울 만한 유적 하나 번듯한 것 없이, 다만 패망의 치욕을 일깨워주는 한(恨)이 서린 유적 하나로 고도의 명목을 유지하고 있는 이 고장의 겨울은 얼마나 적막할 것인가.

백마강이 바라보이는 곳에서 며칠이고 쉬자. 남이 해주는 밥을 먹으며.

아마 내 상에 오르는 물고기의 조상의 조상, 그 먼 조상은 아리따운 궁녀의 살점을 포식했을지도 모른다.

그렇게 되면 나는 여관밥을 통해 먼 먼 옛날의 어느 미진한 젊음의 한과 만나질 수도 있는 게 아닌가.

이렇게 나는 내가 정한 목적지에 대해 미리 감동을 했다.

내가 선택한 목적지는 내가 원하고 상상한 대로 적막했다. 뭔가 못 견디게 적막했다.

나는 거기서 오래 머물지 못하고 대전으로 나와 그 주위를 둘러보고 대구로 갔다. 해인사를 목적으로 하고서였다.

해인사 근처는 관광지로 잘 개발이 되어 머무르기에 조금도 불편함이 없었다. 내가 그렇게 소망하던 여관밥도 훌륭했다. 그러나 이 편하고 훌륭하다는 게 나를 불편하게 했다. 거기도 내 목적지는 아니었다.

나는 이왕 길 떠난 김에 새로 개통된 구마(邱馬)고속도로나 달려보고 싶단 유치한 생각이 나기 시작했다. 생전 고속도로란 구경도 못해본 것처럼 그게 타보고 싶어진 것이다.

그러니 다음 목적지는 자동적으로 마산이 될 수밖에 없었다. 마산에서 진해로, 진해에서 정석대로의 남해안 관광을 하고 부산으로 갔다.

부산은 지리적으로 서울에서 가장 먼 고장인데도 서울의 관문에 들어선 것 같은 묘한 심리적인 착각을 일으키는 고장이다.

시시각각으로 있는 서울까지의 각종 교통편 때문에도 그렇고, 도시적인 번화한 면모 때문에도 그렇고, 과다하게 밀집한 인구 때문에도 그런 것 같았다.

나는 내가 부산에 와 있었는 데 대해 맥빠지는 기분에 빠진 채 여직껏의 행적을 돌이켜보았다.

어느 고장에서도 하룻밤 이상을 묵지 못했다. 어느 곳에서도 목적지에 당도했다는 편안감을 맛본 적은 없다.

어느 곳의 여관밥도 남이 해준 밥이란 유일한 매력만 빼면 대체로 맛없는 것이었다.

그 맛없음이나마 각 고장마다의 특색조차 없이 어쩌면 그렇게 똑같은지.

남이 해준 밥에 대한 돌발적인 매력에서 준비한 여행은 남이 해준 밥에 대한 싫증으로부터 서서히 귀가를 준비하고 있었다.

그러고 보니 도시적인 것을 떠난답시고 출발해서 마음먹고 한적한 곳을 택한 나의 여행은 차츰 도시적인 것에의 접근을 시도하다가 나도 모르게 서울의 관문에 도달해 있었다.

나는 몸 편하기 위해 여직껏 안 사던 가족들에 대한 선물을 몇 가지 샀다. 부산은 그런 일을 위해선 매우 편하게 되어 있는 고장인 까닭도 있었지만 차츰 가족들 생각이 나기 시작하는 때문이기도 했다.

그러면서도 뭔가 여행의 목적을 달성 못한 것 같은 미진한 기분으로 서울행 고속버스에 올랐다. 집에 가고 싶어서라기보다는 더 갈려도 바다가 막혀 못 가니까 돌아갈 수밖에 없지 않겠느냐는 식의 체념 같은 귀갓길에 올랐다.

겨울날은 쉬 어둡는다. 일찌거니 출발한다고 했는데도 서울 못 미쳐서 완전히 어둡고 말았다.

며칠 만에 돌아온 서울의 야경은 아름다웠다.

나는 저 멀리 서울의 무수한 불빛을 바라보며 가슴을 두근댔다. 그리고 생각했다. 저곳이야말로 나의 목적지였다고. 내가 진저리를 치며 떠난 곳이야말로 나의 최종의 목적지였던 것이다.

나는 더할 나위 없는 편안감을 느꼈다.

신세계 앞에서 시청 앞까지의 엎어지면 코 닿을 수 있는 거리에도 최대한의 고지와 최대한의 함정을 마련해놓고 나의 허약한 다리를 최대한으로 모욕하고 학대하던 도시, 차(車)에 아부하기 위해 인간을 최대한으로 천대하던 이 비인간적인 도시에 나는 따뜻한 친화감을 느꼈다.

그 속, 그 복잡한 갈피 속엔 내가 포기한 나의 살림이 나를 기다리고 있으리라.

나는 그것을 다시 내 것으로 해서 소중하게 어루만지고 새로운 숨결을 불어넣으리란 생각으로 뭉클한 감동조차 맛보고 있었다. 한겨울에 돌아올 집이 있다는 건 좋은 일이다.

나는 한겨울에 돌아오기 위해 한겨울에 떠났던 것이다.

바캉스 가나마나

자기와 남이 같이
즐긴다는 것,
내 즐거움이 남의
즐거움을 훼방놓지도
않되, 남을 너무
의식하느라 자기의
즐거움까지
침식당하지도 않는다는
것은 어렵고도
어려운 일이다.
결국 나는 이 어려운
일을 감당할 수가 없어
이 복더위에 집이나
지켜려 드는지도
모를 일이다.

바캉스 가나마나

　무더운 일요일이다. 식구가 모두 집에 있다. 목욕탕에서 물
끼얹는 소리, 마당에서 물장구치는 소리, 냉장고 문 여닫는 소
리, 덥다, 더워, 정말 더운데, 미치게 더운데, 식구마다 이 방
저 방 들락거리며 매연처럼 내뿜는 덥다는 신음소리, 정말 덥다.
　복더위에 식구가 집구석에 모여 있다는 건 오붓하고 따스운
친화감 대신 끈끈하고 답답한 열기가 느껴져, 우선 식구를 이런
밀집의 상태에서 훨훨 풀어놓고 싶어진다.
　일간 어디로 떠나 보내야지, 나는 아이들 중 아무도 내게 아
직 조르기 전인데도 내 나름대로 바캉스 계획이랄까 이런 걸 짜
본다. 그러나 이 계획 속에 나는 포함시키지 않는다. 나는 집을
보겠다. 집에서 찬물에 목욕하고 대청마루에 번듯이 누워, 신문
에서 해운대나 송도 해수욕장의 들끓는 인파를 천연색 사진으

로 보며 텔레비전이나 라디오 같은 건 아예 꺼버리고, 아이들로부터 놓여났다는 해방감과 정적을 마음껏 누리는 것만으로 홀륭한 피서가 될 것 같다. 나는 실상 이 더위에 집을 떠난다는 일, 피서지에서 겪어야 하는 일들을 미리 두려워하고 있다. 나이 탓일까?

아이들이 어리고 나도 젊고 지금같이 바캉스 붐이 일기 전, 그러니까 교통편이랑 숙박시설에 불편한 점이 많았을 무렵, 오히려 우리는 아이들과 함께 자주 산과 물을 찾았던 것 같다. 그래서 우리들은 우리들이 찾아낸 우리들만의 비밀스러운 고장을 알고 있었고 그것이 재산처럼 흐뭇했었는데 지금은 그런 곳까지 어느 틈에 사람들에게 알려져 장바닥처럼 세속스러워졌다.

생활에 여유가 생기고 너도나도 자연을 즐기려는 마음의 여유까지 생겼다는 것은 좋은 일이다. 그러나 성품이 옹졸한 나는 우리만이 즐기던 고장이 여러 사람이 같이 즐기는 고장으로 변모한 것이, 마치 귀중한 재산을 부당하게 빼앗긴 것처럼 억울하고 서운하다.

자기와 남이 같이 즐긴다는 것, 내 즐거움이 남의 즐거움을 훼방놓지도 않되, 남을 너무 의식하느라 자기의 즐거움까지 침식당하지도 않는다는 것은 어렵고도 어려운 일이다. 결국 나는 이 어려운 일을 감당할 수가 없어 이 복더위에 집이나 지켜려드는지도 모를 일이다.

아이가 둘 있을 적이었으니 아마 15, 6년 전쯤 될까? 아이들에게 기차를 태워주고 싶다고 생각한 우리 부부는 두 아이를 데리고 경춘선을 탔다.

표는 춘천까지 끊었는데 강촌(江村)이란 역이 소양강을 굽어보는 절벽 위에 제비집처럼 매달려 있는 게 하도 앙증스럽고 재미있어 우리는 그냥 그곳에서 내리고 말았다. 내리긴 내렸으나 따로 갈 곳도 없고 하여 역시 암벽을 타고 내리니 바로 강이었고, 때마침 한낮이고 손바닥만한 모래사장이 폭염에 펄펄 달고 있을 뿐 몸을 감출 그늘 한귀퉁이가 없었다. 그래도 거기가 나루터인 듯 건너쪽에서 시골 노인을 서너 명 태운 배가 번들거리는 강을 건너오고 있었다.

강을 건너봤댔자 어디 갈 만한 곳이 있을 것 같지도 않았고 우리 외에는 손님도 없었으므로 우리는 그냥 배를 태워달라고 했다. 꽤 오래 배를 태워준 뱃사공은 언제까지 탈 것이냐고 했다. 나는 춘천 가는 기차가 언제쯤 오는지 그때까지 태워달라고 했다. 남편은 「사실은 우리는 춘천까지 가는 길인데 집사람이 마음에 든다고 내리자길래 덩달아 내렸더니 마땅하게 갈 곳이 없군요」하며 머리를 긁었다. 뱃사공은 우리가 좀 귀찮았던 모양으로 우리를 강촌역 대안에다 내려놓으며 강변 따라 춘천 쪽으로 조금만 걸어가다가 왼쪽 산골짜기로 들어가면 기가 막힌 폭포가 있다고 가르쳐주었다. 우리는 물론 뱃사공이 일러준 대로 했다. 아아, 그때 우리가 찾아낸 폭포가 있는 협곡의 시원함.

그 폭포의 장대함이나 아름다움은 내 고향의 자랑인 〈박연폭포〉(이 폭포는 내 고향의 것이고, 지금 갈 수 없는 곳이기에, 나는 이 폭포만큼 아름다운 폭포는 다시 없는 것으로 알고 있는 것 같다)엔 훨씬 미치지 못했으나, 상쾌한 낙하음과 눈가루 같은 비말(飛沫)을 좁은 골짜구니 가득 뿌리며 떨어지는 폭포는 가히 절경이었다. 그리고 그 고장은 알려지지 않은 고장, 우리가 애써 발견한 고장이기에 더욱 신통했다.

인근 마을에서 물맞이 왔다는 촌부가 몇 명 얼음처럼 찬 물에 참외를 담가놓고 마침 점심 보따리를 풀고 있는 외에는, 서울사람이라곤 아무도 없었으니 얼마나 신났겠는가. 함지박에 베보자기를 덮은 점심밥엔 강낭콩이 먹음직스레 박혀 있어 우리 아이들이 한사코 그 밥을 먹고 싶다고 조르는 바람에 우리가 싸가지고 간 김밥과 바꾸어 먹었다. 과자와 참외도 바꾸어 먹었다. 아주머니들은 인심이 좋아 바꿈질을 번번이 우리 쪽만 덕을 보는 것 같았다. 강낭콩에다 뼈까지 무르게 바싹 졸인 붕어조림을 곁들여 먹던 맛을 무엇에 비길까?

그 후에도 나는 몇 번인가 그곳엘 갔었고, 아주 친한 사람에게만 귀한 것을 나누어주듯이 그 고장을 일러주었다. 알맞은 등산 코스도 갖추고 있어 가보면 가볼수록 싫증이 안 나는 곳이었다.

그러나 내 권고로 그곳을 가본 사람은 대개 별것도 아니더군 하며 시큰둥한 얼굴을 했다. 나의 사전 선전이 좀 지나쳤든지,

자연과의 사귐도 사람과의 사귐처럼 길들이기에 따라 그 맛이 다른 것인지.

그러다 몇 년 전 실로 오랜만에 그곳을 다시 가보고, 정말 그곳도 별것이 아닌 곳이 되어 있는 것을 알게 되었다. 우이동 계곡이 있는 것 같은 방갈로도 생기고 음식점도 생기고 여관도 생기고, 서울사람, 숱한 도시사람, 트랜지스터, 전축, 기타 소리에 노래자랑 소리, 싸우는 소리.

그때 이미 그 폭포는 등선(登仙)폭포란 이름으로 널리 알려져 있었고, 너도나도 휴일이면 어디든지 교외 바람을 쐬고 와야 되는 것으로 알게끔 생활에 여유랄까 멋이 한창일 즈음이었으니 그럴 만도 했다.

촌아주머니들이 청참외를 담갔던 맑고도 차던 계곡물에 담긴 숱한 콜라병, 맥주 깡통, 둥둥 떠내려오던 갖은 잡동사니의 껍질들, 그곳은 이미 나만의 비경은 아니었다. 그곳은 유명해져 있었고, 자연도 유명해지니 유명해진 사람 모양 타락해 있었다.

이런 경험은 수없이 많다. 용문역에서 용문사까지 마땅한 탈것이 없었을 무렵 남편과 단둘이서 보낸 용문사의 여름도 잊을 수 없고, 역시 교통이 불편할 당시의 전등사, 특히 서문으로 빠져나오면 산책할 수 있는 해변길도 인상 깊다. 그러나 이런 곳이 교통이 편해지고 널리 알려지고, 그래서 너무도 여러 사람의 것이 됨으로써 변모해간다는 것은 좋은 일일 터인데도 나는 그게 싫다. 남과 내가 같이 즐길 줄 모르는 옹색한 성품 탓일 게다.

이런 일도 있었다. 어떤 일(아마 가정부를 데리러)로 친구와 함께 가게 된 곳인데, 시외버스를 타고 마석(磨石)에서 내려 다시 〈물골안〉행 버스를 갈아타고 종점에서 한 정거장 못미처에서 내리면 강 건너 바라뵈는 동네가 있다. 동네 앞을 흐르는 물은 강이라기엔 수심이 좀 얕고, 시냇물이라기엔 그 폭이 너무 넓었다. 그런데 그 물이 그렇게 맑을 수가 없었다. 물 밑 모래 알 한 알까지도 잡힐 듯이 보이는데 〈물골안〉이란 이름 그대로 아무리 가물어도 물이 줄어드는 일이란 없다는 것이었다. 강을 건너면 밤나무 울창한 산이 울타리처럼 에워싼 조그만 동네가 있는데 인심이 순후하고, 식사를 부탁했더니 음식솜씨 역시 그렇게 구수할 수가 없었다.

그만 그 동네에 홀딱 반하고 만 내 친구, 갑자기 제가 무슨 풍수지리설이라도 도통한 듯 무릎을 탁 치더니, 그곳에 부모님의 묘지를 장만하겠다고 벼르더니 일이 잘 진행돼 산과 강변을 낀 논밭까지 장만하게 되었다. 성미가 급한 이 친구는 바로 강가 언덕 위에 집까지 짓기 시작했다. 이를테면 이 친구 별장을 갖게 된 것이다. 이 친구 어찌나 이 동네를 사랑했던지 집도 양옥이나 방갈로식으로 짓지 않고 순 한식으로 지었다. 양옥이나 슬레이트 지붕으로 이 동네의 풍치를 해칠 수 없다는 것이었다.

나는 그때 참 좋아했었다. 별장을 가진 친구가 있다는 건 얼마나 신바람 나는 일이냐 말이다. 나는 내리 3년이나 아이들을 데리고 이곳에서 여름을 보냈다. 산이 있고, 좋은 이웃이 있고, 아이들과 보내기엔 더할 나위 없는 곳이었다. 더군다나 이곳은 교통도 불편하고 폭포나 절 같은 명승지도 가까이에 없으니 쉬 유명해질 염려도 없었다. 나는 아이들과 밭에 나가 김도 매고 오이나 호박의 암꽃과 수꽃도 가르쳐주고, 달개비니 질경이니 싱아니 하며 내 짧은 밑천으로 들꽃이나 잡초의 이름을 가르쳐주기도 하고, 신기한 풀이나 꽃을 보면 책 사이에 눌러서 식물 채집의 숙제로 삼기도 했다.

아이들과 나는 그곳을 얼마나 사랑했던가. 때로는 남편까지 마치 우리 별장이나 되는 것처럼 친구를 데리고 와서 닭을 잡고 술을 마셨다. 내 친구는 별장뿐 아니라 보트도 가지고 있어서 우리는 실컷 보트타기를 즐길 수 있었고, 특히 그곳에 처음 갈 때 버스에서 내려 강변까지 한달음에 달려가 강 건너로 바라뵈는 별장에다 대고 아이들과 함께 소리를 모아 악을 쓰면, 집을 지키던 소녀가 벌써 알아듣고 집 안에서 노(櫓)를 갖고 뛰어나와, 강가에 매놓은 배를 풀어 노 저어 와, 우리를 건네줄 때의 아이들의 즐거움이란 말할 수 없이 큰 것이었다. 내 아이들이 어른이 된 뒤에도, 아마 늙은 후에도 그때 일을 회상하는 건 큰 즐거움이 될 것이다.

그러나 웬걸, 어떤 서울 부자의 호화로운 별장이 생기더니 자기 별장 앞에 다이빙장을 만드느라 강의 모습까지 임의로 변경시키는 일이 생겼다. 아아, 부(富)란 사람에게뿐 아니라 자연에까지 이렇게 횡포로울 수 있다니. 이어서 그 고장 국회의원의 공약으로 드디어 다리까지 놓이게 되었다. 보트로 강을 건너지 않아도 되게 된 것이다. 편리해진 게 어디 그것뿐이랴. 하루에도 몇 번씩 서울 마장동에서 직행버스가 다니게 되었다. 그 맑던 물은 공일날의 정릉 골짜기 물처럼 뿌옇게 흐린 채 갖은 오물을 다 싣고 흐르고 있고, 강가에 발 들여놓을 틈도 없이 캠핑하는 텐트가 쳐지고 여기저기서 밤새 토해내는 각종 소음으로 도저히 잠을 이룰 수 없는 고장이 되고 말았다.

더 안타까운 것은 그 고장 사람들의 변모다. 그렇게 순하던 그 고장 사람들이 어떻게나 이악해졌는지 좀 편편한 곳만 있으면 텐트를 쳐놓고 자릿세를 뜯어내고 행상을 하며 바가지를 씌운다. 그래서 그 고장이 부유해진다면 얼마나 좋으랴만은 농사일을 게을리 하고 또 캠핑 온 일부 몰지각한 이들의 거친 짓으로 밭 작물이 많은 피해를 입어 별로 더 잘살게 된 것 같지도 않다고 친구는 한숨짓는다.

우리는 결국 이 고장에서도 쫓겨난 것이다. 친구는 아직도 여름이면 나를 자기 별장으로 초대하기를 잊지 않는다. 나는 친구의 초대 전화를 받으면 즐겁다. 그러나 다만 별장을 가진 친구가 있다는 게, 친구의 호의가 있다는 게 즐거울 뿐이지 이미 그 고장이 나에게 즐거운 고장일 수는 없다. 나는 무슨 핑계든지 대고 올 여름에도 또 한번 친구의 초대를 거절할 것이다.

그러고 보니 과거의 내 바캉스란 편협하고 옹색한 내 은둔

취미의 한 모습에 지나지 않았던 것 같다.

이제 국민학교에 다니는 막내만 빼면 아이들도 많이 컸다. 제 나름대로 가보고 싶은 데도 있는 모양이고, 전공과목에 따라 가봐야 할 곳, 또 과외활동 그룹끼리 가기로 정해진 곳 등이 있는 모양이다.

굳이 내가 올망졸망 거느리고 다니지 않아도 될 것 같다. 그리고 겨울 휴가는 멀리 흩어진 가족까지 노변으로 불러모아 가족이 밀집의 상태를 이루고 싶은 데 반해, 여름 휴가는 가족끼리의 유대를 한때 느슨히 풀어 각자의 자유를 주고 싶다.

아이들을 한동안 놓아주어야겠다. 가정이란 안전하지만 답답한 울타리로부터, 가족애의 속박과 열기로부터.

내 주위엔 아무리 다 큰 애들이라지만 어떻게 아이들만 어디로 보낼 거냐고, 지금이 어떤 세상인데 하며, 아이들만의 여행을 천부당만부당한 것으로 아는 분이 상당히 많다. 그런 분들이 목격한 젊은이들의 탈선 행위나, 상식으로 이해 안되는 광태는 아닌게아니라 부모로선 듣기만 해도 오한이 날 지경이다.

또 탈선하고는 좀 질이 다른 이야기지만, 여비가 모자라 구걸을 하며 농가나 딴 여행자에게 폐를 끼치고, 자기 건강까지 엉망이 되어 돌아다니는 청소년 얘기도 딱하다.

그렇다고 전적으로 청소년의 여행을 금한다는 것은 구더기 무서워 장 못 담그는 식의 우매한 처사가 아닐까? 젊은이들의 불건전한 탈선 행위란 산이나 바다에서보다 오히려 서울의 뒷골목이나 어두운 영화관에서 더 자주 발생하고 있는지도 모르지 않나? 부모나 가정이란 굴레에서 자유도 좀 맛보고, 고생도 좀 해보는 것도 여행의 중요한 목적 중의 하나겠지만, 자유도 고생도 남에게 폐를 안 끼치는 한도 내에서, 또 자기 몸이나 건강을 보전하는 한도 내에서, 그리고 될 수 있으면 훗날 약이 되는 한도 내에서 누리길 내 자식과 남의 자식에게 간절히 바랄 뿐이다.

하긴 요즈음 젊은이들이란 우리가 염려하는 것보다 훨씬 더 똑똑하고 야무진 데가 있으니까 자기와 남이 같이 즐기는 슬기, 모르는 사람끼리 만나서도 서로 자연스럽게 어울려 즐기되 뒷맛 깨끗이 헤어질 줄 아는 기술 같은 게 우리보다 훨씬 나을 줄 안다. 또 그런 것을 여행을 통해 배워야 될 줄 안다.

탈선 행위 다음으로 우리네 부모들이 염려하고 눈살을 찌푸리게 되는 것이 피서지에서 젊은이들이 주야를 가리지 않고 내지르는 소음인데, 젊은이들도 그것만은 좀 삼가줘야겠지만, 우리 부모네들도 여름 한철만은 이런 젊은 광란을 너그럽게 봐주는 아량을 가져야 할지도 모르겠다.

내 아이들 중 가장 얌전하고 내성적인 딸아이가 올 봄 2박 3일의 수학여행을 다녀왔는데 나는 그 애가 하도 꽁생원이어서 가서 잘 놀지도 못하고 외톨이 노릇이나 하면 어쩌나 은근히 근심을 했었는데 다녀온 딸애는 목이 잔뜩 잠겨 있었다. 못된 감기라도 걸린 줄 알았더니 웬걸 밤새 고래고래 악을 써가며 노래를 불러서 그렇게 되었다는 것이다. 나는 아연했다. 늘 눈살을 찌푸리고 봐온 광란하는 청소년이 결코 무슨 이방인이나 남의 자식은 아니었던 것이다. 바로 내 자식이었던 것이다.

남의 앞에서 동요 하나 큰소리로 못 부른다는 수줍은 당신의 아들도, 뼛속까지 요조숙녀인 것으로 알고 있는 내 딸도 실은 목이 터지게 괴성을 지르며 팔 다리 엉덩이를 관절이 물러날 때까지 흔들고픈 광란에의 근질근질한 욕망을 깊숙이 간직하고 있을지도 모른다.

축적된 욕망은 억압하고 은폐하기보다는 어떤 방법으로든 발산되어야 한다. 바로 이 여름철이야말로, 태양도 바다도 하늘도 땅덩이도 수목도 이유 모를 광란으로 지글지글 타오르는 이 시기야말로, 젊은이들의 광란에의 욕구를 풀 시기가 아닐는지. 그렇다고 여행을 떠나는 내 아이들에게 광란을 권할 생각은 추호도 없다. 어른이 못 보는 데서 아이들이 하려는 일에 대해 가볍게 체념하고 있을 뿐이다.

떠나기 전에 밑도끝도없이 긴긴 잔소릴 해줄 생각이다. 될 수 있으면 사람이 많이 모이는 해수욕장보다는 명승 고적을 답사하라는 것에서부터 시작해서, 객지에서의 잠자리는 요렇게⋯⋯, 먹을 것은 조렇게⋯⋯, 생리적인 오물의 처리법까지, 사람이 많이 모이는 곳에서 지켜야 할 일들을 누누이 타일러 길고 긴 잔소리를 서너 번쯤 되풀이해서 들려준 후에야 아이들을

바캉스 가나마나

떠나 보낼 것이다.

그리고 마지막으로 여비 외에 비상금을 주고는, 비상금 넣어 두는 곳을 구두바닥으로 하랬다, 모자 속으로 하랬다, 브래지어 사이로 하랬다, 또 한번 잔소리를 푸짐하게 한 후에야 비로소 아이들을 놓아줄 것이다. 나 또한 아이들로부터 놓여나 게으름과 심심함을 마음껏 누리게 될 것이다.

분합에는 발을 치고 요에는 풀을 빳빳이 먹인 베호청을 시치고 베홑이불을 덮고 누웠다 앉았다 게으르고 게으르게, 심심하게 며칠을 보낼 수 있을 것을 생각하니 자못 즐겁다. 나는 내 무위와 나태를 좀더 완벽한 것으로 하기 위해 텔레비전이나 라디오 따윈 아예 안 틀겠다. 신문도 어쩌면 사진만 보고 팽개치겠다. 누구나 내 바캉스를 부러워할 것이로되 나는 그 누구도 부러울 것이 없는 멋진 바캉스를 갖게 될 것이다.

자연으로 혼자 떠나라

자연은 홀로 있는
사람에게 비로소
친근하게 다가온다.
홀로 있는 사람에게만
가슴을 연다.
홀로 있는 사람에게만
그의 내밀한 속삭임을
들려준다.
이것은 자연 속에
홀로 있어본 사람만이
아는 자연의 성질이다.

자연으로 혼자 떠나라

또 여름이 돌아왔다.

젊은이들이 집과 도시를 박차고 뿔뿔이 흩어져 이글대는 자연 속으로, 알몸으로 뛰어들고 싶은 계절이.

벌써 바캉스 계획을 짜놓은 젊은이들도 있을 테고, 지금부터 짤 젊은이들도 있으리라.

지도를 펴놓고 산으로 갈까, 바다로 갈까, 명산을 찾을까, 이름 모를 낙도를 찾을까를 망설이는 것도 즐거운 고민이 될 것이다.

그러나 무엇보다도 신경이 써지는 것은 누구누구하고 한패가 되어서 떠나느냐일 것이다. 남녀가 단둘이 떠난다면 아마 부모님의 승락을 받기가 힘들 테고, 특별한 사이가 아니면 부모님이 아닌 입장에서도 과히 권하고 싶은 방법이 아니다.

자연히 무관한 친구끼리 한팀을 짜게 되는데, 나를 중심으로 A·B·C·D·E라는 친구를 한 팀으로 모아들였다고 하자. 나는 그 다섯 친구와 다 친하지만 A하고 E는 미워하는 사이일 수도 있다.

단 며칠간이라도 이런 이질적인 친구끼리 공동생활을 하면서 인화를 유지하려면 그 중심인물인 나의 신경의 소모가 이만저만이 아니다.

이런 신경의 소모는 도시생활에서 싫든 좋든 우리가 매일 감당해야 하는 정신의 고역이다. 도시와 자기가 속해 있던 공동생활의 굴레를 벗어나서까지 새로운 굴레를 만들 필요가 있을까? 한번 용기를 내서 혼자 떠나라고 권하고 싶다.

우리가 여행을 통해 놓여나기를 꿈꾸는 것은 도시적인 공간뿐 아니라, 도시적인 복잡 미묘한 인간관계이기도 하니까.

친하지 않은 친구와 여행을 떠나는 일은 거의 없고, 대개 마음에 맞는 친구를 선택하다 보면 매일 만나는 그 얼굴이 된다. 그 끼리끼리의 속성을 벗어난다.

물론 따분하지 않게 하기 위해 기타를 가져오는 친구도 있을 테고, 카세트를 가져오는 친구도 있을 테고, 트랜지스터를 가져오는 친구도 있으리라. 그 결과적으로 도시적인 인간관계뿐 아니라, 도시적인 음향까지 같이 달고 다니는 결과가 된다.

도시적인 인간관계, 도시적인 소음에 갇혀 자연엔 눈이 멀 수밖에 없다.

자연에 눈이 열려 마음에 드는 곳, 머무르고 싶은 곳을 발견했다고 치자. 곧 머물고는 싶은 자유마저 없다는 걸 알게 될 것이다.

A가 마음에 드는 곳을 B는 마음에 안 들어할 수도 있고, C의 일정은 얼마든지 신축 있는데 D의 사정은 촉박할 수도 있다.

훌쩍 떠나고 마음놓고 머무르고 정 홈식(homesick)을 견딜 수 없을 때 돌아올 수 있다. 여행의 자유, 정착하면서 동경하던 방랑의 낭만은 팀이라는 이유 때문에 산산이 유린당한다.

도시적인 구속으로부터 놓여나지 못하고는 도시적인 오염으로부터 놓여난다고 해서 도시로부터 한때나마 자유로워졌다고 할 수는 없으리라.

뿐만 아니라 여행 궁극의 목적인 자연과 사귀고 친해질 기회를 여럿이서 함께는 좀처럼 가질 수가 없다.

여럿이 함께 자연을 보거나 거기서 무엇을 배울 수는 있을지 몰라도, 사귀고 친해지진 못한다.

자연은 홀로 있는 사람에게 비로소 친근하게 다가온다. 홀로 있는 사람에게만 가슴을 연다. 홀로 있는 사람에게만 그의 내밀한 속삭임을 들려준다. 이것은 자연 속에 홀로 있어본 사람만이 아는 자연의 성질이다.

자연 속에서 홀로가 되는 것. 될 수 있는 대로 작고 고독하고 겸허해지는 것, 이것은 자연과의 관계에 있어서 반드시 경험해두지 않으면 안될 소중한 거라고 생각한다.

자연으로 혼자 떠나라

무리를 져서 떠들며 뛰어든 자연에서 자연은 그저 거기 있을 뿐, 결코 그의 가슴을 열지 않는다.

고속버스나 기차 타고 빠르게 통과하는 노변의 자연일 뿐이다. 가장 훌륭한 친구이자 가장 사귈 만한 친구가 있다면 바로 자연이라고 흔히들 말한다.

사람을 친구로 사귀기 위해서도 그렇지만 자연을 사귀기 위해서도 우선 거기 머무르지 않으면 안되고, 고독하지 않으면 안된다.

자연을 노변의 자연으로 스쳐가지 않고 사귀기 위해서라도 그 내밀한 목소리를 알아듣기 위해서라도 과감히 끼리끼리를 떨치고 홀로 자연으로 들라고 유혹하고 싶다.

또 A·B·C·D·E가 같이 여행을 함으로써 A·B·C·D·E의 우정이 더욱 두터워지기보다는 정 떨어지는 경우가 더 많다는 것도 생각해볼 문제다.

아무리 친해도 먹고 자는 것을 같이하지 않던 친구가 먹고 자는 것을 같이함으로써 새로운 면을 드러내기가 쉽다. A는 깔끔한 멋쟁이인 줄 알았더니, 게으르고 설거지를 엉망으로 하고 B는 책임감이 강한 성실한 친구인 줄 알았더니 식사 당번은 어떻게 하든 빼먹는 얌체더라 하는 식으로 말이다.

물론 이런 개인적인 약점을 스스로 보완하고 여럿이 감싸고 해서 원만한 협동생활을 해야 하나, 그러자니 피곤하다, 도시생활의 피곤이란 거의 이런 인간관계의 긴장에서 오는 피곤인데 그걸 그렇게 못 잊어 달고 다닐 게 뭐 있으랴.

끼리끼리를 떨치고 한번 철저하게 외로워져 보라.

외롭기 때문에 새로운 고장 사람들과 자연스럽게 사귀게도 된다.

제주도 인심을 알지 못하고 어찌 제주도를 다녀왔다 할 수 있으며, 강원도 인심을 알지 못하고 어찌 강원도를 다녀왔다 할 수 있으랴.

그러나 끼리끼리 떼를 지어 다니면서 그곳 인심과 접하기는 힘들다. 끼리끼리라는 건 일종의 세력 과시이기 때문에 그런 끼리끼리를 맞는 그쪽 사람들 역시 일종의 적의(敵意)를 갖고 맞이하게 된다. 즉 텃세를 하게 된다. 그러니 끼리끼리와 본토박이 사이에 어떤 인간관계가 이루어질 리가 없다.

대개 끼리끼리 여행 갔다 와서 하는 소리는 「시골 인심 한번 더럽더라」이지만, 홀로 갔다 온 사람의 소리는 다르다. 어디 가나 산 좋고 물 맑은 것처럼 후한 인심, 소박한 인간성이 있다는 데 감탄을 하고 돌아온다.

자연과의 만남뿐 아니라 사람과 사람과의 만남의 신비조차 결코 끼리끼리에게는 차례가 오지 않는다.

혼자 떠나라.

농촌 봉사라는 이름으로 떠나는 여행조차 혼자 떠나라고 권하고 싶다.

비록 같은 목적으로 구성된 단체의 일원이더라도 홀로의 마음가짐으로 겸허하게 농촌으로 들어가야 한다.

끼리끼리 떼를 지어 가면 우선 우월감이 생기고 도시적인 걸 거침없이 풍기게 된다.

농촌 봉사에서 가장 먼저 떨쳐버려야 할 것이 바로 이 우월 감이다. 농민에게 무엇을 가르쳐야 한다는 우월감을 갖고 농촌 으로 들어가려면 차라리 안 들어가는 게 낫다. 머슴살이 들어가 는 마음을 가질 수 있어야 한다. 머슴 중에도 아주 일 못하는 머 슴, 하나부터 열까지 배우고 익혀야 하는 풋내기 머슴의 송구스 러운 마음으로.

도시에서 대학을 나왔거나 또 다니는 걸로 농촌에 가서 우월 감을 갖고 뭘 가르칠 수 있다고 생각하면 큰 오산이다.

우리가 교과서에서 배운 지식이, 그들이 자연에서 땀 흘려 얻어낸 지혜보다 어째서 우월하냐 말이다.

어째서 쌀나무가 어떻게 생겼는지도 모르는 무식쟁이가, 외 국사람과는 의사소통도 안되는 외래어 몇 마디를 농민보다 더 안다고 해서 농민보다 유식한 척할 수가 있느냐 말이다.

제발 그런 되어먹지 않은 생각으로 떼를 지어 농촌에 들어가 지 않기를 바란다. 머슴은 떼를 지어서 머슴살이 다니지 않는 다.

농촌이 도시보다 못 먹고 못 산다고 해서 섣불리 문명화된 도시의 생활양식을 가르치느니보다는 그들의 생활모습이야말 로 우리 사회에서 가장 정직하게 일해서 떳떳하게 얻어낸 생활의 모습이라는 걸 깨닫는 게 더 중요하다. 또 잘 살고 못 사는 걸 반드시 도시적인 척도로 재야 하느냐 그것도 문제다. 이런 것을 회의하고 사고하는 것도 홀로의 일이다.

올 여름은 한번 용기를 내서 자연 속에서, 농촌 속에서 홀로가 되어보라고 권하고 싶다.

아름다운 것은 무엇을 남길까

이 세상에 태어나서
여태껏 만난 수많은
아름다운 것들은
나에게 무엇이 되어
어떻게 살 것인가를
공상하게 했지만
살 날보다 산 날이
훨씬 더 많은
이 서글픈 나이엔
어릴 적을 공상한다.

아름다운 것은 무엇을 남길까

　건망증이 날로 심해 식구들을 애먹이는 일이 잦다. 비누·휴지·치약 등 제때제때 갖춰놓아야 할 일용품을 떨어진 지 며칠이 지나도 사오기를 잊어버려 식구들을 불편하게 하거나 공과금 낼 날을 잊어버려 과태료를 내는 정도는 다반사다. 식구들이 흘려놓은 것 중 좀 중요하다 싶은 건 깊이 챙겨두긴 하는데 정작 필요할 때는 어디 뒀는지 깜깜이 되고 만다. 이젠 아이들이 뭘 찾다가도 엄마가 잘 뒀다는 말만 하면 좋아하기는커녕 숫제 찾던 손을 멈추고 미리 절망적인 얼굴을 한다. 아이들의 절망적인 얼굴을 보면 나도 덩달아 막막해지면서 자신이 싫어진다. 왜 잘 챙겼다는 사실은 기억이 나면서 정작 그게 어디라는 건 생각나지 않는지 내 일이건만 참으로 딱하다.
　이렇게 최근의 기억이 형편없이 희미해지는 반면 오래된 젊은 날의 기억은 변함 없이 생생하고, 어린 날의 기억 중에는 미세한 부분까지 놀랄 만큼 선명하게 떠오르는 것도 있어서 때로는 그게 정말 있었던 일일까, 상상력이 만들어낸 환상일까 의심스러울 적도 있다.

얼마 전 설악산에서의 일이다. 설악산 관광을 위해 간 게 아니라, 강릉까지 볼 일이 있어 갔다가 잠깐 들렀었는데 마침 단풍철이었다. 많은 사람들이 설악산 단풍을 절경으로 꼽아 시월 한 달은 설악산이 그 어느 때보다도 사람에게 시달리는 달이지만 그곳 단풍이 그 아름다움의 절정에 이르러 오는 사람이 절로 〈앗〉 하는 탄성을 지르게 하는 동안은 불과 하루 이틀이라고 누구한텐가 들은 적이 있다. 나는 그때까지 설악산이 네번째였고 가을에만 세번째였는데 골짜기마다 다만 〈앗〉 하는 탄성 외엔 말문이 막히게 황홀했던 건 그때가 처음이었다. 나는 뜻하지 않게 내가 그 짧은 절정의 순간과 만나고 있음을 느꼈다.

땅은 얼마나 위대한가? 일용할 양식과 함께, 그 아름다운 조락(凋落)을 만들어낸 땅에 겸허하게 엎드려 경배드리고 싶은 충동과 아울러 형언할 수 없는 비애를 느꼈다. 요새 나의 감동은 이상하게도 슬픈 느낌과 상통하고 있다. 하다못해 깔끔하고 입에 맞는 음식을 먹고 나서도 문득 슬퍼진다.

그때였다. 군계일학(群鷄一鶴)처럼 만산홍엽(滿山紅葉) 중에서도 뛰어나게 고운 빛깔로 눈길을 끄는 단풍나무가 있었다. 깎아지른 듯한 벼랑에 홀로 비상할 것처럼 활짝 핀 그의 자지러지게 고운 날개엔 마침 석양이 머물고 있었다. 처절했다. 나는 앗! 하는 탄성을 안으로 삼키면서 그 빛깔은 바로 어려서 할머니 등에 업혀서 바라본 저녁노을 빛깔이라고 생각했다. 그러나 그게 실제의 기억인지, 그 순간의 상상인지, 그 두 가지의 혼동인지는 아직까지도 아리송하다.

나는 어려서 대단한 울보였던 모양으로 너무 울어서 어른을 애먹인 에피소드가 다양한데 그중엔 노을이 유난히 붉던 날, 할머니 등에 업혀서 그걸 손가락질하며 몹시 울었다는 얘기도 있다. 등에 업혀 다닐 만큼 어릴 적 일이니까 그걸 보고 왜 울었는지 생각날 리는 없고, 아마 강렬한 빛깔에 대한 공포감이었겠지 정도로 짐작하고 있었는데 그때 느닷없이 그게 생생하게 되살아난 것이다.

그건 이미 단풍이 아니었다. 고향마을이 청결한 공기, 낮고 부드러운 능선, 그 위에 머물러 있던 몇 송이 구름이 짧고 찬란한 연소의 순간이 거기 있었다.

어쩌면 그건 기억도 상상도, 그 두 가지의 혼동도 아닌 이해가 아니었을까? 나의 어릴 적의 그 울음은 자연의 신비에 대한 나의 최초의 감동과 경의였다는 걸 살 날보다 산 날이 훨씬 더 많은 이 초로의 나이에 비로소 이해할 수 있게 된 건지도 모르겠다. 이 세상에 태어나서 여태껏 만난 수많은 아름다운 것들은 나에게 무엇이 되어 어떻게 살 것인가를 공상하게 했지만 살 날보다 산 날이 훨씬 더 많은 이 서글픈 나이엔 어릴 적을 공상한다.

아름다운 것은 무엇을 남길까

이 서글픈 시기를 그렇게 고웁디고웁게 채색할 수 있는 것이
야 말로 내가 만난 아름다운 것들이 남기고 간 축복이 아닐까?

예사로운 아름다움도 살 날보다 산 날이 많은 어느 시기와
만나면 깜짝 놀랄 빼어남으로 빛날 수 있다는 신기한 발견을 올
해의 행운으로 꼽으며 안녕.

아름다운 것은 무엇을 남길까

제4부
깨달음의 향기

 사랑의 입김

입김이란 곧 살아 있는 표시인 숨결이고 사랑이 아닐까?
싸우지 않고, 미워하지 않고 심심해하지 않는 게 평화가 아니라
그런 일이 입김 속에서, 즉 사랑 속에서 될 수 있는 대로 활발하게 일어나는 게 평화가 아닐는지.

사랑의 입김

외손자가 요새 한창 말을 배우기 시작하고 있다. 〈짹짹〉〈멍
멍〉〈야옹〉 등 외성음 먼저 하더니 〈물〉〈콩〉〈강〉 등 외자 소
리도 곧잘 한다. 요전엔 마루에서 뛰다가 의자 모서리에 이마를
부딪혔다. 울상을 하고 나에게 와서 얼굴을 들이대면서 「약
약」 한다. 무릎이 까졌을 때 약을 발라준 생각이 나나 보다. 나
는 부딪친 자리를 쓱쓱 비벼만 주고 약은 안 발라도 되겠다고
일러주었다. 알아들었는지 못 알아들었는지 물러가지 않고 계
속 뭔가를 요구하는데 이번엔 〈약〉 소리 대신 입을 오므리고
호오, 호오 하는 것이었다. 다치거나 물 것에게 물린 자리에 약
을 발라줄 때 하는 것이다.

다치거나 물 것에게 물린 자리에 약을 발라줄 때마다 호오,
호오 하면서 상처에 입김을 불어줬었는데 그것이라도 해달라는

것 같았다. 나도 웃으며 녀석의 얼굴을 끌어당겨 이마에 정성껏 〈호오〉를 해주었다. 녀석은 눈까지 스르르 감으면서 그렇게 마음놓고 느긋한 표정을 지을 수가 없었다. 나도 웃음이 절로 났다.

　나의 어릴 적도 마찬가지였다. 꽤 클 때까지도 할머니와 어머니의 입김에 의지했던 것 같다. 시골에서 자라서인지 어릴 적에 넘어지기도 잘하고 다치기도 잘했지만 그 흔한 머큐로크롬 한번 못 발라봤다. 넘어져서 무릎이 까지든, 싸워서 얼굴에 손톱자국이 나든 할머니와 어머니의 처방은 마음으로부터 안쓰러워하면서 그저 입김을 〈호오, 호오〉 불어주시는 게 고작이었다. 정 피가 많이 나면 무명 헝겊을 북 찢어서 상처에 감싸주시면서도 〈호오, 호오〉 입김을 불어주셨고, 붕대 위로도 가끔가끔 입김을 불어주시면서 아픔을 위로하고 아울러 탈없이 치유가 되길 빌어주셨다. 할머니나 어머니의 따뜻한 입김에 상처를 내맡겼을 때 어린 마음을 푸근히 충족시켜주던 평화로움은 이 나이가 되도록 잊혀지지 않는다. 잊혀지지 않을 뿐더러 나도 모르게 내 손자에게 같은 짓을 반복했었고, 손자도 그것을 좋아하는 것 같다.

　〈호오, 호오〉 어린 마음에 할머니나 어머니의 입김이 와닿기는 비단 다쳐서 아파할 때만이 아니었다. 화롯불에 파묻어 말랑말랑 익힌 감자나 밤을 꺼내 껍질을 벗겨주시면서도 〈호오, 호오〉 입김을 불어 알맞게 식혀주셨고, 끓는 국이나 찌개도 그렇게 식혀주셨다. 먹고 싶은 걸 참느라 침을 꼴깍 삼키면서 그분들의 입을 지켜보면서 어린 마음속엔 그분들에 대한 신뢰감이 싹텄었다.

어찌 상처나 뜨거운 먹을 것에만 그분들의 입김이 서렸었을까? 그분들의 입김은 온 집안에 서렸었다. 학교 갔다가 집에 돌아왔을 때 간혹 어머니가 집에 안 계시면 그것을 대문간에 들어서자마자 알아맞힐 수가 있었다. 집안 전체가 썰렁했다. 썰렁하다는 건 실제의 기온(氣溫)과는 상관없는 순전히 마음의 느낌이었고 이 마음의 느낌은 한번도 어긋난 적이 없었다.

학교에서 먹는 도시락에도 어머니의 입김은 서려 있었고, 입고 다니는 옷에도 어머니의 입김은 서려 있었다. 나는 그때 〈다꾸앙〉이나 달고 끈적끈적해보이는 멸치볶음, 콩자반 등등 반찬 가게에서 만들어 파는 도시락 찬만 가지고 다니는 아이를 속으로 무척 불쌍하게 여기고 나중엔 경멸하는 마음까지 품었던 게 지금까지 생각난다. 어머니의 입김이 들어가지 않은 걸 허구헌 날 먹는 아이가 마치 헐벗은 아이처럼 보였던 것이다.

어린 날, 내가 누렸던 평화를 생각할 때마다 어린 날의 커다란 상처로부터 일용할 양식, 필요한 물건, 입고 다니던 입성, 그리고 식구들 사이, 집안 속 가득히 고루 스며 있던 어머니의 입김, 그 따스한 숨결이 어제인 듯 되살아난다. 그것을 빼놓은 평화란 상상도 할 수 없다. 싸우지 않고 다투지 않고 슬퍼하지 않은 어린 날이 어디 있으랴.

다만 그런 일이 어머니의 입김 속에서 이루어졌기 때문에 행복과 평화로 회상되는 게 아닐까?

그러고 보니 내 자식들이나 내 손자들이 훗날 그들의 어린 날을 어떻게 기억할지 문득 궁금하고 한편 조심스러워진다. 나보다는 내 자식들이, 내 자식들보다는 내 손자들이 따뜻한 입김의 덕을 덜 보고 자라는 게 아닌가 싶다. 그건 부모의 허물만도 아닌 것이 아이들에게 필요한 모든 것이 구태여 입김을 거칠 필요 없이 대량으로 생산되기 때문이다. 아이들을 가르치는 법까지도 매스컴이나 그 밖의 정보를 통해 대량으로 전달되기 때문에 집집마다 대대로 물려오는 입김이 서린 가풍(家風)마저 소멸해가고 있다.

아이들은 어머니의 입김이 서리지 않은 음식을 먹고도 배부르고, 어머니의 입김이 서리지 않은 옷을 입고도 등이 따뜻하고 예쁘다.

다쳐서 피 났을 때 입김보다는 충분한 소독과 적당한 약이 더 좋다는 것도 잘 알고 있다. 그러나 어머니의 입김이 서리지 않은 집에서도 컬러텔레비전과 냉장고 속에 먹을 것만 있다면 허전한 걸 모르는 아이들이 많아져가고 있다면 문제가 아닐 수 없다. 그런 아이는 처음부터 입김이 주는 살아 있는 평화를 모르는 아이일지도 모르기 때문이다. 입김이란 곧 살아 있는 표시인 숨결이고 사랑이 아닐까? 싸우지 않고, 미워하지 않고 심심해하지 않는 게 평화가 아니라 그런 일이 입김 속에서, 즉 사랑

속에서 될 수 있는 대로 활발하게 일어나는 게 평화가 아닐는
지.

 교양 있는 부모님들에 의해 잘 다스려지는 가정일수록 입김
이 희박해지는 게 아쉽다. 세상이 아무리 달라져도 사랑이 없는
곳에 평화가 있다는 건 억지밖에 안되리라. 숨결이 없는 곳에
생명이 있다면 억지인 것처럼.

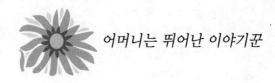

어머니는 뛰어난 이야기꾼

어머니는 몽상가였을 뿐 아니라 뛰어난 이야기꾼이기도 하였다.
어머니는 당신의 이야기로 어린 딸이 빈촌 셋방의 궁핍과 답답함과
외로움을 뛰어넘어 고운 꿈을 갖게 하셨다.

어머니는 뛰어난 이야기꾼

나는 세 살 때 아버지를 여의고 홀어머니 밑에서 자랐다. 편모슬하라곤 하지만 여덟 살 때까지는 조부모님과 여러 숙부님, 숙모님, 고모님이 한집에서 사는 대가족 속에서 귀여움을 독차지하고 외로움을 모르고 지낼 수가 있었다.

살림은 그냥저냥 1년 계량이나 할 수 있는 정도의 농토를 소작을 주고 있어 유복하진 않았지만, 조부님이 사랑에 서당을 열고 인근 마을 아이들에게 한문을 가르치고 계셨기 때문에 집에선 늘 낭랑하게 글 읽는 소리가 그치지 않았다.

할아버지가 사랑 마당에 가꾸시던 함박꽃과 국화, 고모가 후원에 가꾸던 봉숭아, 분꽃, 맨드라미, 접시꽃 등은 지금까지도 내 어린 날을 아름다운 낙원으로 꾸며주고 있다.

그러나 여덟 살 되던 해 정월달에 나는 별안간 그 낙원에서 쫓겨나는 신세가 됐다. 그보다 앞서 오빠를 공부시키려고 서울로 데려간 어머니가 나까지 데리러 오신 것이었다.

그때는 30년대였고 어머니는 시골 선비댁의 종부(宗婦)였기 때문에 오빠를 공부시키겠다고 집을 떠나 서울에서 딴살림을 하는 것은 도저히 용납받지 못할 짓이어서 조부모님과 가족들의 혹독한 비난을 면치 못했다.

따라서 시골집에선 일전 한푼의 보조도 못 받고 순전히 바느질 품팔이로 아들을 간신히 공부시키는 처지에 딸까지 데려가겠다고 하니 조부님은 화도 안 나시는 모양이었다. 시부모 봉양과 봉제사의 의무를 포기한 종부는 이미 내놓은 며느리였다.

그러나 어머니는 어머니 나름으로 하늘도 알아준다는 종부의 의무를 포기할 만한 뼈저린 까닭이 있었다. 그건 아버지의 돌연한 죽음이었다.

내가 세 살 때 일이니까 내 기억엔 통 없지만 아버지는 매우 건강한 분이었다고 한다. 그런데 어느날 갑자기 심한 복통을 일으켜 한의사를 불러다 사관을 트고, 그래도 안 낫자 무당을 불러 푸닥거리를 하는 사이에 걷잡을 수 없이 병세가 악화되어, 뒤늦게 달구지에 싣고 20여 리나 떨어진 읍내 병원으로 옮겼을 때 아버지는 이미 손쓸 수 없는 지경에 이르렀고, 곧 운명하셨다고 한다.

사람들은 그것도 다 팔자라고 했지만 어머니는 그 팔자라는 것에 도무지 승복할 수가 없었다. 그 정도의 급환(急患)은 도시에서만 살았더라면 종기나 부스럼처럼 쉽게 치료될 수 있었다는 걸 어머니는 알고 있었기 때문이었다. 그게 한(恨)이 되어 어머니는 당신의 바느질 솜씨 하나를 밑천으로 어떡하든 어린 남매를 도시에서 교육시키기로 결심하신 것이었다.

초라하지만 어딘지 거역할 수 없는 위엄이 풍기는 어머니의 손에 이끌려 타달타달 20리 길을 걸어 처음 본 읍내도 나에겐 놀라운 대처였는데, 거기서 다시 기차를 타고 서울역에 내리니 그 휘황한 전기 불빛과 한 채의 집이 통째로 움직이는 것과 같은 전차와 많은 사람들은 여덟 살짜리 촌뜨기의 넋을 통째로 빼앗고도 남을 만한 것이었다.

어머니는 얼이 빠져 입을 헤벌린 나에게 입을 다물라고 자주 주의를 주셨다. 나는 속으로 그렇게 번잡하고 화려한 고장에서 사시는 어머니가 존경스럽고 두려웠다. 어쩐지 내 어머니 같지가 않았다.

그러나 전차를 타보고 싶다는 나의 간절한 기대를 무시하고 어머니는 마냥 걷기만 하셨고 드디어 당도한 동네는 서울 변두리의 산꼭대기 빈촌이었다. 그 빈촌의 초가집이나마 내 집이 아니었고 사글세방이었다.

동산까지 있는 후원과 잔칫날이면 차일을 치고 온 동네 사람을 한꺼번에 대접할 만한 사랑 마당이 있는 시골집에서 마음껏 뛰놀던 나에겐 견디기 어려운 서울살이가 시작됐다.

놀 마당이 없을 뿐 아니라 놀 친구도 없었다. 나 보기엔 그

어머니는 뛰어난 이야기꾼

동네 아이들이 시골 친구들보다 훨씬 더럽고 마음씨도 짓궂어 별로 상대하고 싶지도 않은데 동네 아이들 역시 나를 우습게 보고 괜히 집적대면서 일제히 소리를 합해 〈시골뜨기, 꼴뜨기〉라고 놀려댔다. 번번이 얻어맞고 울고 들어오자 어머니는 나를 밖에 나가지 못하게 하셨고, 또 폐가 된다고 안집에도 못 들어가게 하셨다.

안뜰 바깥뜰은 물론 동네방네 들과 산으로 자유분방하게 뛰놀던 아이를 별안간 단칸 셋방에 가두려니 어머니는 무슨 수를 써서라도 내 마음붙일 곳을 마련하지 않으면 안됐으리라. 그러나 어머니는 너무도 가난했다. 그림책을 살 돈도 주전부리를 시킬 돈도 없었다.

그때 우리 어머니가 생각해내신 묘방은 나에게 옛날 애기를 해주시는 거였다. 내가 알사탕 사먹게 1전만 달라고 조를 때도 어머니는 당신의 이야기로 주전부리 대신을 삼으려 드셨고, 동네 아이들한테 놀림을 받아 울고 들어왔을 때도 어머니는 당신의 옛날 애기로 나의 상한 자존심을 어루만지려 드셨다. 내가 시골 할머니와 삼촌들이 보고 싶어 쓸쓸해할 때도, 남과 같이 예쁜 옷을 입고 싶어할 때도, 어머니는 당신의 이야기로 나의 마음을 어루만지고 달래주려 드셨다.

어머니는 당신의 이야기로 만병통치약을 삼으려 드셨으니 어머니야말로 얼마나 천진한 몽상가였을까.

지금도 그때, 나의 일생 중 가장 궁핍했던 그 시절을 회상하

어머니는 뛰어난 이야기꾼

면 조금도 어둡거나 구질구질했던 것 같지 않고 누구보다도 행복하고 꿈 많던 시절이었다고 절로 미소가 번진다.

어머니는 몽상가였을 뿐 아니라 뛰어난 이야기꾼이기도 하였다. 어머니는 당신의 이야기로 어린 딸이 빈촌 셋방의 궁핍과 답답함과 외로움을 뛰어넘어 고운 꿈을 갖게 하셨다.

훗날 알게 된 거지만 그때 어머니가 무궁무진하게 해주신 옛날 얘기는 우리의 전래동화뿐 아니라 고전까지도 섭렵한 것이었다. 그래도 이야기가 딸린 땐 즉석에서 새로운 이야기를 꾸며내기도 하셨다.

아마 어머니가 몇십 년 늦게 태어나셔서 새로운 교육을 받을 수만 있었다면 나보다 몇 배 나은 이야기꾼이 되셨으리라. 어머니는 그때 당신도 모르게 당신 속에 있는 이야기꾼의 싹수를 어린 딸에게 부지런히 옮겨심었는지도 모르겠다. 그중의 얼마가 자라 지금의 내 이야기 밑천이 돼주고 있다.

내가 어머니로부터 이야기보다 더 확실하게 물려받은 게 있다면 그건 아마 몽상일 게다. 내가 내 이야기에게 줄기차게 거는 꿈이 있는데 그건 내 이야기가 독자와 만나 그들의 아픔과 쓸쓸함과 외로움을 어루만지고 나아가선 그들의 답답하고 구질구질한 상황을 뛰어넘을 수 있는 힘이 되는 것이니 말이다.

어머니는 뛰어난 이야기꾼

 여자와 남자

여자가 남편을 따라 순사하는 것을 가장 큰 미덕으로 삼았던 시대에도
어린 자식을 놓아두고 남편을 따라 죽는 여자에겐 음녀라는 욕설을 서슴지 않았다.
자식이 있고 없고에 따라 가장 큰 미덕이 가장 나쁜 악덕도 될 수가 있었던 것이다.

여자와 남자

아주 어렸을 때의 일이다. 나는 어머니의 손을 잡고 나들이를 가고 있었다. 몸에 부스럼이 나서 약수물을 맞으러 가는 길이었다. 약수가 있는 곳은 우리 마을에서 20리나 넘게 떨어져 있는 고장이라 나는 자주 다리가 아프다고 엄살을 부렸고, 그럴 때마다 어머니는 나를 업어주셨다.

나는 행복했다. 엄살을 부릴 때마다 업어주시는 것도 좋았지만 흰 옷만 입으시던 어머니가 물빛 같은 담청색의 숙고사치마에 흰 항라 적삼을 받쳐입으신 게 그렇게 고와 보일 수가 없었다. 혹각 비녀를 꽂아 곱게 쪽진 머리에서 풍기는 동백 기름 냄새도 좋았다.

어느 마을 앞을 지날 때였다. 어머니가 멈춰 서셨다. 어머니는 창백하고 엄숙한 얼굴로 뭔가를 우러르고 계셨다.

내 기억 속에서 어머니가 그때 우러르시던 것의 모습은 모호하다. 훗날 내가 서울에 와서 학교 다니면서 본 운동장의 게시판 같았던 것 같기도 하고 창경원의 대문 같았던 것도 같고, 풀숲을 가다가 우연히 본 비목 같은 모습으로 떠오르기도 한다.

처음에 나는 어머니가 그곳에 써 있는 한문 글씨를 읽으려고 그렇게 서 계신 줄 알았다. 그러나 그것을 한동안 우러르던 어머니는 거기다 대고 몇 번이고 큰절을 하시는 게 아닌가. 나는 당장에 울음이 터질 것 같았다. 왜냐하면 어머니의 그런 짓은 어머니가 흰 옷만 입고 지내실 때에 집의 대청마루에 있는 상청에다 대고 매일 하시던 짓이었기 때문이다. 절이 끝나면 곡을 하시겠지. 나는 어머니의 곡을 듣는 게 무엇보다 싫었다.

어머니의 애절한 곡소리가 은은하게 울려퍼지면 나도 저절로 눈물이 나면서 이 세상의 모든 즐거움으로부터 나 혼자 단절된 것 같은 슬픔과 고독을 맛보아야 했고, 그런 슬픔과 고독은 대여섯 살의 계집애가 감당하기엔 너무 벅찬 것이었다.

그러다가 대청마루에서 상청이 없어지고, 어머니가 조석으로 곡을 하시는 일도 끝났다. 내가 조석으로 겪어야 하는 벅찬 슬픔의 시간도 끝난 줄 알았다.

그런데 느닷없이 길가에서 어머니가 상청에서 곡하시던 때와 똑같이 창백하고 슬픈 얼굴을 하시고 곡하시기 직전에 하던 큰절을 하고 계신 게 아닌가!

그러나 다행히 어머니는 곡을 하시지 않았다. 우수에 잠긴

얼굴로 주위를 돌아보시더니 가까운 둔덕에 앉으시며 「쉬어가
자」 하고 나직이 말씀하셨을 뿐이다.

「엄마 저게 뭔데?」

나는 어머니가 우러르시던 걸 턱으로 가리키며 말했다. 상청
하고는 비슷하지도 않았으나, 어머니를 상청 앞에 선 것처럼 만
드는 게 도대체 뭘까? 나는 두렵고도 궁금했다.

「열녀문이란다.」

어머니가 조용히 말씀하셨다.

「열녀문이 뭔데?」

「남이 못할 훌륭한 일을 한 여자를 열녀라고 하고, 그런 열녀
한테 나랏님이 상으로 내리신 게 열녀문이란다.」

「그런 좋은 상을 왜 이렇게 길에다 놓아둬?」

「모든 사람들이 그 열녀의 행실을 본받게 하려고……」

「이 열녀는 어떤 일을 했는데?」

「죽은 남편의 3년상을 지성으로 받들고 나서 따라 죽었단
다.」

어머니가 나직이 한숨을 쉬며 대답하셨다.

세상의 열녀란 얼마나 끔찍한 여잔가! 나는 갑자기 깨지는
소리를 내며 울기 시작했고, 어머니의 물빛 치마를 붙들고 몸부
림치기 시작했다.

그때에 나의 어린 의식 속에서 땅과 하늘이 한꺼번에 무너져
내리던 공포를 지금도 생생하게 기억한다.

어머니가 아버지의 3년상을 정성껏 받들고 난 직후였기 때문이다.

나는 울면서 한마디 말만 되풀이했다.

「열녀 나쁜 년, 열녀 나쁜 년⋯⋯」

딴 곳도 아니고, 열녀문 앞이라, 비록 보는 사람 듣는 사람은 없어도 어머니는 질겁을 해서 나를 끌고 열녀문이 있는 곳으로부터 멀리 도망쳤다. 그리고 나를 달랬다. 엄마는 절대로 나를 놓아두고 죽지는 않는다고, 그래도 내가 울음을 안 그치자,

「자식이 없어야 남편 따라 죽으면 열녀지, 자식이 있으면 따라 죽지도 못하는 법이란다. 자식 놓아두고 남편 따라 죽으면 열녀는커녕 음녀라고 사람들이 침을 뱉는단다.」

「음녀가 뭔데?」

나는 비로소 울음을 그치고 물었다.

「그건 더 커야 알게 되지만 아무튼 이 세상에서 제일 나쁜 욕이란다.」

음녀가 음란한 여자를 뜻하는 걸 알기까지는 그 뒤로 오랜 시일이 걸렸다. 그러나 그때에 남편 따라 죽은 여자가 열녀라고 칭송을 받는 대목에서 받은 충격이 컸던 것만큼 자식 놓아두고 남편 따라 죽은 여자가 이 세상에서 제일 큰 욕을 먹는다는 데에 대한 공감도와 만족감도 또한 큰 것이었다.

그러니까 열녀가, 내가 이 세상에서 처음으로 부딪친, 마찰하고 저항해야 할 것으로 인식한 어른들의 윤리 도덕이라면 음

녀는 그중에서 그래도 숨쉬고 공감할 수 있는 너그러운 여자였던 셈이다.

여자가 남편을 따라 순사하는 것을 가장 큰 미덕으로 삼았던 시대에도 어린 자식을 놓아두고 남편을 따라 죽는 여자에겐 음녀라는 욕설을 서슴지 않았다. 자식이 있고 없고에 따라 가장 큰 미덕이 가장 나쁜 악덕도 될 수가 있었던 것이다.

어느 대학교 교수가 아내를 따라 죽었다. 어느 판사도 비명에 간 아내를 따라 죽었다. 이런 보도가 전해지자 비난의 소리도 있었고, 동정의 소리도 있었고, 대부분이 여자였지만 선망의 소리까지도 있었던 것 같다. 오죽 사랑했으면 따라 죽었을까 하고.

여자가 강해졌단 소리는 아닐 테고, 발언권, 경제권, 영향권, 책임감—이런 것들을 그 강해진 것들 중에 포함시킬 수 있을 것이다. 상대적으로 여직껏 남자들의 전용물이던 것들이 나누어지고 약해졌다고도 볼 수 있을 것이다.

그렇다고 치더라도 남자와 여자의 관계가 어느 틈에 남자가 여자를 따라 순사할 만큼 전도됐나 하고 다시금 놀라움을 금할 수가 없다. 여직껏의 순사란 왕과 신하와의 사이, 상전과 종과의 사이, 남자와 여자와의 사이, 곧 강자와 약자와의 관계에서 순전히 약자의 것이었기 때문이다.

그렇더라도 사랑하는 아내의 뒤를 따라간 남자에게 우리가, 살아 있는 사람이 무슨 말을 할 수 있으랴.

남의 죽음에 대해 옳으니 그르니 할 자격은 아무에게도 없다. 두통이나 치통도 겪어보지 않으면 그 아픔의 진짜 모습을 모른다. 우린 아무도 아직 스스로의 목숨을 끊어보지 않았거늘 어찌 목숨을 끊기까지의 고통을 안다 할 수 있으랴. 다만 죽은 사람인들 오죽해야 죽었을까 하는 심심한 애도와 함께 그런 죽음에 대해 잊어버리는 게 그런 죽음을 곱게 하는 산 사람의 도리인 줄 안다.

그런데도 『뿌리깊은 나무』에선 아내를 따라 죽는 남자 얘기를 요구하고, 그 밖의 지면이나 입을 통해서도 아직도 거기에 관한 화제가 그치지 않는 건 남자와 여자와의 뒤바뀐 순사의 관계 때문이기도 하겠으나 그들이 어린 자식을 남겨놓았기 때문이기도 하겠다.

이번 사건으로 나는 본의 아니게 몇 년 전에 있었던 흉악범이 경찰들에게 포위되자 처와 자식을 모조리 쏘아 죽이고 자기도 목숨을 끊은 사건을 회상하게 되었다.

물론 그들 흉악범과 이번에 자살한 대학교수와 판사와는 속한 계층이 하늘과 땅과의 사이고, 자라난 환경과 지성의 차이도 심하다. 어찌 보면 우리 사회의 두 끝의 차이인 셈이다. 그때에 가족을 죽인 흉악범의 처사는 천인이 공노할 비정한 짓으로 모든 사람들에게 받아들여졌다.

그러나 한편으로 곰곰이 생각해보면 그들은 그들이 걸어온 인생이 고아로서의 밑바닥 인생이었던 것만큼 자식을 고아로 만드느니보다 차라리 죽이는 게 낫다는 이 세상의 조직적인 비정에 대한 소름이 끼칠 정도의 처절한 인식이 있었고 그들 나름의 자식에 대한 책임감이 있었던 것을 알 수가 있다. 누가 뭐래도 그들은 아마 그런 방법으로 그들의 부모로서의 책임을 완수한 것으로 믿었으리라.

자식을 완전히 소유물로 보는 그런 책임감은 물론 지탄받아야 한다. 부모로서의 책임감에 대한 중대한 오해다.

그러나 그들이 죽는 날까지 몸으로 체험하고 철저히 인식한 우리 사회의 비정조차 그들의 오해였다고 말할 수 있을까? 물론 철저하게 밑바닥의 인생만 산 그들이 인식한 것처럼 지독하게 매운 것은 아닐지 모르지만 부모를 한꺼번에 잃은 아이들이 걸어야 할 길은 위험하고 험난할 수밖에 없는 건 아무도 부인하지 못할 것이다.

나는 다시 한번 나의 어린 날의 기억 중에서 열녀문과 어머니에 대한 기억으로 되돌아가고 싶다. 남편 따라 죽은 여자를 열녀라고 칭송한다는 소리를 듣고, 어머니도 열녀가 되면 어쩌나 싶으면서 어린 마음이 맛본 절대적인 고독, 하늘과 땅이 무너져내리는 것 같은 공포! 그런 고약한 느낌이 한때에 그치는 것이 아니었다면 나는 과연 그것을 감당할 수가 있었을까?

자기 자식을 사람 힘으로 어찌할 수 없는 일에 맡기지 않고 자기 스스로 그렇게 만드는 일은 용서받을 수 없는 죄악이라고 생각한다. 여북해야, 남편 따라 순사하는 것을 최고의 미덕으로 치던 때에도 자식이 있는 여자가 남편 따라 죽는 것만은 음녀라고 욕을 했을까?

그런 뜻으로도 흉악범들의 그릇된 책임감이 나쁜 것과 마찬가지로 최고의 지성인들이 한때의 슬픔에 못 이겨 자식에 대한 책임을 포기한 것도 또한 지탄받을 수밖에 없는 일이 아닐까?

물론 그분들이 인식한 이 세상이란 흉악범들이 인식한 이 세상처럼 철저하게 비정한 세상은 아니었을 것이다. 얼마쯤의 재산도 있었을 테고, 따뜻한 우정으로 맺어진 친구도 있었을 테고, 우애가 깊은 형제와 의리 있는 친척도 있었을 것이다. 그런 것들에 대한 믿음과 응석이 세상을 포기하는 것을 좀 쉽게 했을지도 모른다.

그렇더라도 그분들은 죽지 말아야 했을 것이다. 자식을 맡길 만큼 세상에 대한 믿음이 남아 있으면 거기에 정을 붙이고 다시 살 수 있어야지 왜 죽느냐 말이다.

그리고, 말이야 바른 말이지, 우리가 살고 있는 시대는 자기가 낳은 자식을 자기의 형제나 자매한테 맡기고 죽을 수 있는 시대가 아니다. 우린 바야흐로 핵가족시대에 살고 있다.

핵가족이란 젊은 새댁이 좋아하는 것처럼 시부모 안 모시고, 시동생과 시누이 꼴 안 보고, 두 내외만 오순도순하게 살며 자기 자식만을 애지중지하면서 살아도 좋게 되어 있는 제도다. 그러나 자기가 부모를 배척한 것만큼, 언젠가 자기도 버림받을 것이 약속된 가족제도요, 자기 자식만을 어르고 떨며 애지중지 키우는 게 결코 흉이 되지 않는 것만큼, 친척이나 이웃의 부모 없는 자식을 모른다 해도 결코 흉이 되지 않는 가족제도가 바로 핵가족제도인 것이다.

오랜 옛날까지 거슬러 올라갈 것도 없이 3, 40년 전만 해도 부모 없는 조카 자식이 있으면 자기 자식과 똑같이, 때로는 자기 자식보다 우선해서 교육하고 양육할 책임을 삼촌이 지는 우리나라의 독특한 도덕이 남아 있었다.

얼마 전에 한 고향 사람이 며느리를 보는 식장에 간 일이 있는데 뜻밖에도 고향 사람들이 많이 와서 마치 실향민들의 군민 회장 같았다.

혼례가 끝나고도 헤어지지를 못하고 모여서 이 얘기 저 얘기 하는데 자연히 피난 나오던 얘기들을 많이 했다. 그중에 내가 제일 흥미있게 들은 얘기는 병든 과부 형수를 같이 데리고 나올 수가 없으니까 의리 때문에 자기 아내까지 두고 내려왔다는 얘기와 이런저런 사정으로 가족을 다 남겨두고 자기 혼자 단신으로 피난을 하는데 아내가 울면서 아들 하나만 데리고 가달라고 맏아들을 딸려 보내는 걸 아버지 없는 장조카도 있는데 사람 의리가 그럴 수야 있느냐고 모진 마음 먹고 자기 아들은 떼어놓고 장조카를 데리고 피난 나와 자긴 새 장가를 들고 장조카도 번듯하게 성공시켰다는 얘기였다.

그런 얘기를 들으면서 아무도 감동을 했던 것 같진 않다. 젊은 애들은 기가 막히다는 듯이 하품을 했고, 좀더 적극적인 젊은이는 「쳇, 의리 좋아하네」 하고 야유를 퍼부었다. 나도 또한 열녀문이 마을 어귀에 있는 고향의 풍경을 회상하며 그런 마을의 마지막 사람들을 대하는 것 같은 엷은 감상에 잠긴 게 고작이었다.

그렇다고 이제는 백발이 성성한 노인이 된 이 알아주지 않는 미담의 주인공들이나마 자기가 한 일을 자랑스러워했던 것도 아니다.

「참, 옛날하고 고려적 얘기지, 지금 같으면야 어림도 없지, 어림도 없고말고.」

이른바 의리라는 것에 얽매여 사람의 자연스러운 본성인 부부애나 혈육의 정까지를 억제해야 했던 장본인인 노인들도 지금에는 그것을 뉘우치고 있었다.

우리는 지금에야 남의 눈치보지 않고 부부끼리 즐길 수 있고, 자기 자식만을 애지중지할 수 있는 좋은 세상에 살고 있다. 애정생활은 그만큼 자연스러워지고 가족이라는 개념은 단출해졌다. 아무도 한 가족의 행복을 간섭하지 못한다. 한 가족의 독립성은 그만큼 절대적인 것이다. 그러나 한 가족이 그만큼 고독해졌다는 것도 잊어서는 안된다. 한 가족의 행복을 아무도 간섭할 수 없다는 것은 한 가족의 불행을 아무도 도울 수 없다는 것과도 같은 뜻이 될 것이다.

자식보다 조카를 먼저 돌보는 삼촌이 앞으로 다시는 있을 수 없고, 그런 부자연스러운 의리를 강요하던 도덕도 사라진 지가 오래다.

다시 한번 그분들은 죽지 않았어야 했다고 말할 수 밖에 없다. 교수의 죽음은 아내를 잃은 바로 뒤라 슬픔이 극도에 달했을 때에 오는 병적인 정신상태에서 저지른 일로 이해가 되나, 판사의 죽음은 깊이 생각한 뒤에 유서까지 쓰고 행해진 일이라 더욱 이해하기가 힘들다.

살아 있는 사람치고 아무도 죽어본 경험은 없으나, 죽고 싶어했던 경험이야 누구에겐들 없었겠는가? 사랑을 잃었을 때에, 학교에 떨어졌을 때에, 너무 궁핍했을 때에, 심한 좌절을 맛보았을 때에, 배반당했을 때에, 막연히 살 재미가 없을 때에, 사람들은 죽고 싶어한다. 그 밖에도 이렇게 고통스럽게 사느니보다 차라리 죽는 게 나을 것 같은, 고비고비가 사람 사는 과정에는 어찌 한두엇일까?

역설일지 모르되 어떠한 고통에도 죽음이라는 구원이 마련돼 있기 때문에 사람은 그 고통을 이기고 살 수 있는지도 모른다. 판사를 그 마지막 〈구원〉까지 몰고간 고통은 무엇이었을까?

우선 아내의 죽음이 자연사가 아닌 너무나 끔찍한 타살이었다는 데서 받은 충격은 대단한 것이었으리라고 짐작된다. 감히 이러구저러구 경망스런 짐작을 하는 것조차 죄송스럽다.

거기다가 또 가해자가 하필이면 가정부였다는 데서 오는 세간의 경악, 구구한 역측, 동정, 심지어는 죽은 아내의 인품에 대한 오해도 견디기 어려운 것이었으리라. 범인이 붙잡히고 법의

204
여자와 남자

심판을 받게 되는 데서 오는 동료 법관들에 대한 미안감과 수치심도 우리가 상상할 수 있는 것보다 더 심각했을지도 모른다.

자존심이 있는 사람에게 가장 견디기 어려운 고통이 바로 이 수치감이다. 보통 사람도 부끄러우면 땅 속으로 들어가고 싶다는 말을 쓴다. 땅 속으로 들어가고 싶다는 것은 존재를 무화(無化)시키고 싶단 소리로 곧 죽고 싶다는 소리다.

더군다나 그와 같이 선택된 과정만 밟아 순조로운 출세의 길을 달린 사람에게 수치감이란 너무도 생소한 감정이었을 테고, 생소한 감정이었던 만큼 그것을 다루고 속으로 삭이는 방법에 대해서도 무지했으리라. 그런 고통이야말로 사랑하는 아내의 따뜻한 위무로써만 치유받을 수 있는 건데, 그는 이미 아내를 잃은 뒤였다. 아내를 잃은 슬픔과 고독만이 한층 더 절실해졌을 것은 말할 것도 없겠다.

그렇더라도 그는 그렇게 호락호락 마지막 구원에 몸을 맡겨서는 안되었다.

자식을 고아로 만들고 제 목숨을 끊는 건 법에 걸리지는 않는다. 그러나 사람의 본능적인 선이랄까, 양심에는 심히 거슬린다.

만약에 여자가 이런 일을 당했을 때면 여자는 절대로 죽지 않는다. 여자가 남자보다 더 오래 사는 것으로 보나 전쟁이니 심한 노력이니 위험한 운동이니 하는 사람의 생명을 노리는 일들이 대체로 남자들의 전용물인 것으로 보나 올망졸망한 아이들을 거느리고 혼자될 확률은 여자 쪽이 남자 쪽보다 몇십 배나 많고, 혼자 살기가 힘든 것도 여자가 남자보다 몇십 배나 힘들다.

그래도 스스로 목숨을 끊어 자식을 고아로 만들 수 있는 여자는 없다. 모든 여자는 그런 경우 도리어 믿을 수 없을 만큼 강해지게 마련이다. 여자가 강해지면서 상대적으로 남자가 약해진 게 발언권, 경제권, 영향력, 책임감 따위라면 태초부터 지금까지 변함 없이 남자는 약하고 여자는 강한 것으로서 고통에 대한 투지를 들 수 있을 것이다. 이건 체력하곤 상관없는 문제다.

별 탈없이 사는 부부도 그 밑바닥을 들여다보면 반드시 궂은 일은 여자의 몫이다. 사업하는 집이면 남자는 사장 노릇하고 여자는 돈 꾸러 다니고, 월급쟁이 집이면 남자는 승진하고, 여자는 치사한 걸 무릅쓰고 윗사람에게 교제하러 다니고, 실업자 집이면 남자는 술 마시고 여자는 매맞는다. 방실방실 웃는 아기는 남편이 안고 울거나 똥을 싸면 아내가 안는다. 모든 잘된 것은 남편 덕이고 모든 못된 것은 아내 탓이다.

이렇게 습관화된 남자들의 고통으로부터의 회피벽은 마침내 산다는 게 고통 그 자체가 되었을 때에 그것을 떠맡길 상대가 없어졌으므로 쉽사리 삶을 포기하는 결과를 가져온 것이나 아닌지? 반대로 여자들은 삶의 궂은 일, 언짢은 일만 도맡아가며 살아가는 지혜로 고통을 민첩하게 뛰어넘는 재간을 익혔다고 볼 수 있다.

죽은 사람을 두고 이러쿵저러쿵 말을 하는 것은 무덤을 여는 것만큼이나 무엄한 짓이다. 무덤은 깊이 잠재워야 한다. 어떤 호기심에도 영원히 입 다물고 있을 권리가 무덤에겐 있다.

어쩌면 그런 권리를 얻기 위해 그들은 죽음을 선택했을지도 모른다.

지금 그들에게 뭐라고 말할 수 있는 사람은 오직 한 사람 먼저 저승에 가 있을 그들의 아내뿐일 것이다. 아내는 그들을 맞아 반가워하면서도 나무라고 구박할 것이다.

「여보 벌써 오실 게 뭐 있어요. 아이들 시집 장가나 보내고 오시면 어때서」 하고.

끝으로, 아내를 따라 죽은 남자들의 명복을 빌며, 죽은 사람을 빌려다가 〈여자와 남자〉의 문제를 다루는 것은 편집자의 생각에서 나온 것이지 나의 계획된 의도가 아니었음을 밝힌다.

 말 가난

우리에게 대화다운 대화가 없기 때문인 것을
텔레비전 속에 대화가 없기 때문에 우리에게 대화가 없다고 말하는 것은
사진이 안 나와서 얼굴이 미워졌다고 말하는 것처럼 이치에 닿지 않는다.

말 가난

내 방에 있으면 거실에 켜놓은 텔레비전에서 나는 소리를 알 아들을 수는 없어도 노래인지, 뉴스인지, 연속극인지, 코미디인 지 정도는 쉽게 알 수가 있다. 나는 밤 10시가 넘으면 거실에 있 지 않고 내 방으로 들어와 버린다. 그 후에는 아이들이 내 눈치 가 보이는지 볼륨을 아주 낮게 하므로 내 방에선 겨우 톤만 들 린다.

어느날 나는 아주 신기한 사실을 깨닫게 되었다. 그것은 내 방에서 톤만 듣고도 외화(外畵)인지 우리 극인지를 알아맞힐 수가 있다는 것이었다. 시험삼아 톤만 듣고도 외화다 생각하고 나가보면 틀림없이 외화이고 우리 극이다 싶으면 역시 우리 극 이 틀림없었다. 외화라지만 다 우리나라 성우나 탤런트가 더빙 을 하고, 그들이 억지로 외국식 억양을 쓰는 것도 아닌데 내가 톤만 듣고 외화인지 우리 극인지를 백발백중 구별할 수 있는 비결이 무엇일까.

우선, 우리 극은 외화에 비해 전체적으로 톤이 높다. 그러나 반드시 다 그렇다고는 볼 수가 없다. 그럼 무엇이 외화와 우리 극을 차이 나게 하는 것일까. 나는 그 차이를 곰곰이 생각해보았는데, 결론은 외화의 톤은 지적(知的)이고 우리 극의 톤은 감정적(感情的)이란 것이었다. 여기서 지적이라 함은 교양이나 학력 따위가 풍긴다는 얘기가 아니라 자기의 주장이나 복잡한 감정을 상대방에게 논리적으로 펴보이고 이해시키려는 침착하고 성의 있는 대화의 태도를 말한다.

외화나 우리 극이나 다같이 등장인물들이 주고받는 말로 되어 있다. 그러나 우리 극엔 일방적인 수다, 욕구불만의 폭발 같은 아우성, 완벽한 성인의 설교, 웃기기 위한 말 장난 등으로 되어 있다. 그런 것들은 단순한 말은 되지만 대화는 아니다. 심지어 「누구누구와의 대화」라고 하여 대화가 목적인 프로그램도 잘 들어보면 질의 응답일 뿐 대화는 아니다. 질의자가 어떤 문제에 대해 질문을 하면 대답하는 사람은 유창하게 미리 준비한 대답을 한다. 때로는 응답자가 질문의 핵심과는 얼토당토않은 얘기로 시간을 끌기도 하고 겨우 변죽만 울리기도 한다. 그렇게 되면 질의자는 마땅히 그 점을 지적하거나 자기가 묻고 싶은 것을 보다 알기 쉽게 설명해서 서로간의 이견(異見)을 좁히고 원하는 대답을 얻어내야 할 텐데 나는 아직 그런 질의자를 본 적이 없다. 질의자는 질문을 한 것만으로 자기 할 일을 다했다는 듯이 대답에 별로 귀를 기울이지 않는다. 아무리 엉뚱한 대답을 해도 그만이니 대답하는 사람도 어떻게 하면 그 물음에 적절한 대답을 할 것인가는 생각지 않고, 단지 근사하게 들릴 말을 하기에만 급급하게 된다.

만남의 관계가 이루어지지 않는 말은 말일 뿐 대화는 아니다. 만나지를 않으니 공감도 반감도 있을 수가 없다. 그런 공소한 느낌은 대화에 직접 참여한 사람뿐 아니라 그것을 구경하는 사람도 마찬가지다. 「무슨무슨 대화」라는 프로그램을 보고 나면 뭔가 크게 속은 것 같고 쓸쓸해지는 것도 그런 까닭이다.

여기서 하필 텔레비전 프로그램을 인용한 것은 요즘 가정에서의 대화 단절을 근심하고 그 까닭을 거론할 때마다 텔레비전이 빠지지 않고 등장하기 때문이다. 나 역시 텔레비전이, 가족들이 하루 동안 있었던 좋은 일 궂은 일을 얘기하면서 단란하게 보낼 수 있는 시간의 대부분을 빼앗는다는 의견에 동의하는 편이다. 그러나 가족간의 귀중한 시간을 빼앗는 것보다 더 나쁜 텔레비전의 영향은, 우리가 그것을 통해 무의식중에 배우게 되는 〈말하는 방법〉이다.

결코 쌍방의 의견이 좁혀질 리도 논쟁이 붙을 리도 없는 평행선식 질의 응답, 오로지 웃기기 위한 말 장난, 불난 집에서 뛰어나온 것 같은 외마디 아우성, 뭐 묻은 개가 뭐 묻은 개 나무라는 식의 설교 등이 우리가 주로 배우게 되는 말의 방법이다. 그렇다고 우리가 텔레비전만 탓할 수도 없다. 왜냐하면 거기 나타난 생활상, 사회상, 말의 방법 등이 싫든 좋든 우리들 모습의 반영이기 때문이다.

우리에게 대화다운 대화가 없기 때문인 것을 텔레비전 속에 대화가 없기 때문에 우리에게 대화가 없다고 말하는 것은 사진이 안 나와서 얼굴이 미워졌다고 말하는 것처럼 이치에 닿지 않는다.

그러나 가장 대화가 많아야 할 가정에서의 대화 가난은 그 영향을 무시할 수도 없거니와 우리의 마음을 매우 쓸쓸하게 한다.

우리가 언제부터 이렇게 대화 가난이 들었을까? 대화란 나와 너가 통하는 수단이다.

「그 사람하고 나하곤 통하는 데가 있거든.」 이렇게 말할 수 있을 때 우리는 무한한 기쁨을 맛볼 수 있고, 그 통함이 이룩된 과정은 두말할 것도 없이 대화이다. 집과 집 사이에 길이 있어 마을이 되고 마을과 마을 사이에 길이 있어 사회가 되듯이 사람은 나 아닌 남과 관계 맺지 않으면 인간일 수가 없고 그 관계는 대화를 통해서 비로소 만들어진다. 가장 원초적이고 질긴 어머니와 자식의 관계도 아이가 말을 모를 때는 핏줄의 통함만으로 충분히 모자(母子)의 관계가 이루어질 수 있지만 아이가 말을 배우고 나면 사정이 달라진다.

말이 통해야 진정한 부모 자식이랄 수 있게 된다. 진정한 부모 자식 사이가 되려면 서로 가치관이 통해야 하고 생각하는 것, 희망하는 것을 이해해야 된다. 그러기 위해선 부모 자식간에도 끊임없이 대화가 있어야 한다. 대화가 없는 부모 자식간은 남남이나 다를 게 없다.

요즘 어머니들이 모여 자식 걱정을 할 때면 자기 아이는 커갈수록 무슨 생각을 하고 있는지 모르겠다는 것과 어른들과는 도무지 말을 하려 하지 않는다는 것이 거의 공통된 걱정거리다. 그것만 봐도 가족간의 대화 없음이 얼마나 일반적인 현상인지 알 수가 있다.

어머니들은 흔히 세대차란 말로 그런 현상을 체념하려 든다. 이젠 세대차가 심해서 두세 살 차로 세대차가 난다고들 하니 형제간에도 말이 안 통한다는 얘기다.

어지럼증이 날 정도로 빨라진 변화가 세대차를 심하게 만든 건 사실이다. 그러나 세대간에도 대화가 있어야 한다. 세대차와 세대간의 단절은 다른 말이다. 인류에게 문화가 생겨나고부터 변화는 있었고 따라서 세대차도 있어 왔다. 세대간의 대화는 결코 변화와 발전을 저해하는 요소가 아니다. 오히려 돌연변이나 국적 없는 발전 등 변화의 부정적인 것을 제거해준다. 맥락이 있고 정신이 이어지는, 즉 방향 감각과 비전이 있는 변화를 위해선 세대간의 대화일수록 활발해야 한다. 실상 그런저런 까다로운 까닭 없이도 우린 우선 외로워서라도 대화를 해야 한다. 그러나 외로워 외로워 못 살겠다는 노래가 있을 정도로 각자 심각한 외로움을 앓고 있으면서도 왜 대화는 점점 메말라가는 것일까?

우선 아이에게 말을 가르치고 나서 대화를 가르쳐야 할 단계에서 어머니들이 그것을 못하거나 서툴게 하는 데도 그 원인이 있다고 생각된다. 가끔 젊은 어머니들이 「우리 아이는 문제아인가 봐요」라고 근심하는 얘기를 듣는다. 왜 그렇게 생각하느냐고 물으면 거의가 다 아이와의 대화를 통해 그 아이의 문제성을 발견한 것이 아님을 알 수 있다. 어떤 잡지에서 보니까 이만저만한 버릇을 가진 아이는 문제아이라는데 자기 아이가 그런 버릇이 있다던가, 아무개 엄마가 자기 아이가 문제아이라고 걱정하는데 우리 아이가 꼭 그 아이 같다던가 그런 어처구니없는 어림짐작으로 자기 자식을 문제아이로 생각한다. 엄마가 문제아이로 생각하면 아이는 문제아이가 될 수밖에 없다.

또 자식에 옳고 그름, 할 수 있는 것과 할 수 없는 것, 예의범절 등의 가르침이 많이 줄게 된 것도 세대간의 대화가 줄어든 원인이라고 생각된다. 그런 것들을 가르치다 보면 〈왜?〉라는 물음도 생기고 도저히 승복할 수 없는 데서 오는 갈등도 생기게 마련이다. 〈왜?〉라는 물음과 서로 간의 갈등처럼 대화를 생기 있게 하는 것이 없는데 요즘 어머니들은 아이들에게 오직 한 가지의 일방적인 요구밖에 할 줄 모른다.

「공부해라 공부해. 공부만 잘하면 뭣이든지 해주마.」

그리고 그 뭣이든지의 내용은 전적으로 물질적인 것이다. 너

는 공부를 잘해줄 것, 그것은 〈왜?〉라는 질문이나 이의가 있을
수 없는 절대적인 것이다.

이렇게 부모 자식간의 관계가 물물교환식으로 변질된 것은
부모들의 탓만이 아니라 제반 사회적인 여건과도 관계가 있다.
그러나 아이들이 마음속에 말 못할 고민을 가졌을 때, 괜히 울
적해서 심통을 부릴 때, 쓸쓸해할 때도 애정 깊은 대화로써 아
이들의 문제를 해결하려 하기보다는 맛있는 군것질거리나 유행
하는 의복, 신발, 사치스러운 장난감 등 물질적인 것으로 대신
하려 한다. 심지어는 엄마로서 의당 해야 할 애정 표시나 의무
까지도 물질적인 것으로 대신하려는 경향이 요즘 부쩍 두드러
져 보인다. 물질적인 것처럼 즉각적이고 눈에 잘 띄는 효과도
없다는 걸 알고부터 대화의 필요성이 그만큼 줄지 않았나 한다.
가정에서의 대화 없음이 밖에서 아이들 사이에 대화 없음으로
까지 번져가고 있는 조짐도 흔히 보게 된다. 아이들은 어디서나
참 잘 떠들고 잘 웃고 말이 많다. 거침이 없고 눈치도 안 보고
어른에게도 하고 싶은 말을 서슴지 않고 한다. 그러나 논리적인
말로 자기의 주장을 펴야 할 때라던가 복잡한 느낌을 표현해야
할 때 말문이 막히는 아이들이 의외로 많다. 또 남의 말을 듣고
나서도 입 속에서나 표정으로 불평을 하면 했지 말로 나타내는
아이가 별로 없다. 말로 나타내면 그 말이 왜 옳지 않다는 것을
논리적으로 펴보여야 할 장벽에 부딪히기 때문이다. 그래서 아
이들 역시 말은 많지만 대화는 없다. 아이들 얘기를 옆에서 듣

고 있으면 저절로 웃음이 난다. 그만큼 요즘 아이들은 남을 웃기는 말 재간이 뛰어나다. 그러나 다 듣고 나면 어딘지 허전하다. 개그맨의 싹수가 보이는 아이도 나쁠 것은 없지만 지도자, 학자, 예술가, 농사꾼의 싹수도 보고 싶기 때문이다.

오고 감이 없는, 일방적인 말의 풍년은 물론 아이들 세계만의 일도 어른과 아이들 사이의 일만도 아니다. 어른도 대화를 갈망하지만 그게 또 쉽지가 않다. 나 역시 동창회라든가 친구 아들딸의 결혼식날 등을 기다리는 것은 친구들과 만나 얘기를 하고 싶어서다. 오랜만에 만나 종일 얘기를 하고 나면 속이 다 후련하다. 그러나 집에 와 생각하면 더 허전하고 쓸쓸해진다. 대화를 한 것이 아니라 수다를 떤 데 불과하였고 일방적으로 제 말만 했지 남의 말은 별로 귀담아들으려 하지 않아서다. 대화란 마음에 위안을 주는 동시에 새롭게 배우고 자기도 모르게 남을 가르치는 것이 있음으로써 비로소 가치 있는 것이 아닐까.

대화를 제대로 못하는 것은 남자들도 마찬가지이다. 남자들은 대화의 즐거움과 위안을 위해 술의 힘을 빌리지만 일시적인 스트레스 해소일 뿐 대화는 아니다.

왜 이렇게 대화가 어려울까? 대화처럼 중요한 인생의 어려움과 위안이 없다고 생각할 때 아무리 물질적으로 풍요한 세상도 삭막하고 빈곤해보인다. 인간(人間)이란 말은 곧 사람과 사람 사이, 즉 사회를 뜻한다. 사람 사이에 대화가 없이는 서로의 인간성, 즉 사람됨을 확인할 길이 없다. 인간이 사회성을 잃었을 때 비인간화될 수밖에 없는 까닭도 여기에 있다. 인간성 회복이 시급한 과제라면 대화의 회복은 그보다 앞서야 할 전제조건 같은 것이 되어야 할 줄로 믿는다.

 베란다에서

고학력 부모가 많은 학교일수록 아이들의 성적은
우세할지 모르지만 교육이 들어설 자리는 없어져간다는
어느 국민학교 교사의 한탄은 귀담아들을 만한 말이다.

베란다에서

　벌써 1년도 더 지난 일이건만 생각이 날 때마다 불쾌한 사건
이 있다.

　어느 화창한 봄날이었다고 기억된다. 나는 베란다를 청소하
려고 큰 양동이에 물을 받으면서 한 바가지씩 떠서 타일 바닥에
끼얹고 있었다. 그때 둘둘 말려 있던 호스가 수도물의 압력에
못 이겨 꿈틀 풀리면서 물줄기가 양동이를 벗어나 공중으로 분
수처럼 솟구쳤다. 수도꼭지를 너무 세게 틀어놓은 내 잘못이었
다. 나는 얼른 수도꼭지를 잠그면서도 그동안에 베란다 밖으로
튀긴 물방울이 혹시 지나가던 행인의 옷이라도 적신 것이 아닐
까 겁이 더럭 났다.

　아니나다를까, 날카로운 여자의 목소리가 들렸다. 〈파출, 파
출……〉 하기에 나는 처음에 그게 무슨 뜻인지 몰라 나를 부르

는 소리가 아니려니 했다. 그러나 그 여자는 분명히 나를 험악하게 쳐다보고 있었다. 청바지에 방수천의 빨간 파카를 입은 그 여자는 처녀처럼 해맑고 앳되어보였지만 백일 전후의 예쁜 아기를 안고 있었다. 나의 잘못으로 튀긴 물방울이 그 여자의 파카에 송알송알 이슬처럼 맺혀 있는 게 내 눈에도 똑똑히 보였다. 밝은 봄날에 잘 어울리는 그 여자에게 나는 웃으면서 사과의 말을 하려고 했다. 그러나 그 여자는 그 험악한 시선을 조금도 누그러뜨리지 않았고, 입에선 더 지독한 소리가 나왔다.

「파출, 눈은 얻다 뒀길래 일을 그 따위로 해요? 아이 기분 나빠.」

그러더니 그 자리에서 발을 한번 꽝 구르고 가버렸다. 우리 막내딸 정도의 나이밖에 안되는 여자였다. 허술한 옷차림으로 베란다 청소를 하는 늙수그레한 여자를 파출부로 본 그 여자를 나무랄 마음은 없다. 그러나 아무리 파출부라 해도 즈이 어머니 나이는 됨직한 어른에게 〈파출〉이 뭔가. 그냥 아주머니나 할머니라 해도 그만이고 흔한 말로 〈파출부 아줌마〉라고 해도 좋았을 것을.

내가 그 얘기를 내 친구에게 했더니 친구는 눈깔이라고 안했으니 그 정도면 약과라고 했다. 그러나 그때 내가 충격을 받은 건 그녀의 고약한 말버릇이나 모욕감 때문만은 아니었다. 그 앳된 여자의, 노동하는 사람, 가난한 사람에 대한 그 너무도 당돌한 우월감과 몰인정은 충격적이다 못해 섬뜩할 지경이었다.

그 여자가 내 딸 또래여서 그랬는지는 모르지만 내 딸이 저럴 수도 있으리라는 우리집 가정교육에 대한 반성과 함께 우리나라의 고등교육 전반에 걸친 회의가 뒤따르는 것 또한 어쩔 수가 없었다.

내가 그 여자를 그 고약한 말버릇에도 불구하고 대학 이상의 고등교육을 받은 여자로 단정할 수 있었던 것은 아직 젊은 나이에 지금 내가 사는 아파트(중형 이상) 단지 정도에 살면 시집을 괜찮게 간 축에 들 테고, 요즈음 세상에 시집을 괜찮게 가기 위해서 대학 간판은 필수적이라는 지극히 통속적인 추리에 근거하고 있었다.

또 그 여자의 교만한 태도, 육체 노동하는 가난한 사람에 대한 몸에 밴 능숙한 하대(下待) 등도 그 여자가 경제적으로 좋은 환경에서 응석받이로 자라왔으리라는 추측을 어렵지 않게 했다.

잠깐 스쳐 지나간 여자를 너무 집요하게 짓씹는 것 같지만 결코 나의 개인적인 분풀이를 위해서 이러는 건 아니다. 바로 그 여자에게서 고등교육을 받고 남편을 잘 만나 안락한 생활을 누리는 요즈음 젊은 새댁의 전형을 본 것처럼 느꼈기 때문이다.

이웃의 젊은 엄마들과 얘기를 해보거나, 그들끼리 서로 주고받는 얘기를 들어보면 그들의 가장 큰 고민거리는 아이들의 학교문제라는 걸 알 수 있다. 어디로 이사가고 싶다거나 이 동네는 틀려먹었다는 희망이나 불만도 거의 학군과 관련이 있다.

내가 알기로는 명문 대학에서 대학원 과정까지 마친 어느 인텔리 주부가 앞으로 몇 년은 더 우리 동네에 살아도 될 것 같다고 안심하는 소리를 들은 적이 있다. 그 까닭은 전에는 형편없던 국민학교가 요샌 모든 여건이 좋아졌으니 아이들이 중학교 가기 전까지는 이 동네에 살아도 무방하다는 얘기였다.

그 좋아진 여건이라는 게 시설의 환경, 훌륭한 선생님인 줄 알았더니 그게 아니라 불량 주택이 밀리고 아파트가 들어서는 바람에 가난한 아이들이 없어졌다는 거였다. 자기 자식이 가난한 아이들과 같이 공부하는 걸 나쁜 환경이라 여기고 어떻게 하든지 부자 동네로만 골라서 이사를 다녀야 한다고 생각하다니, 가난이 무슨 몹쓸 전염병이라도 된단 말인가. 그러나 이런 생각이 대부분의 교양 있고 유복한 젊은 엄마들의 공통의 생각이요, 가장 심각한 고민거리이다. 자기 자식이 가난한 아이들과 섞이는 걸 혐오하는 것과 〈파출, 파출〉하는 하대와는 결코 별개의 것이 아니다. 같은 여자의 목소리고 그 목소리의 마음일 뿐이다.

좋은 가정환경에서 학교는 대학까지 나온 여성의 의식 수준이 보편적으로 그 정도라면 그건 가정이나 대학이 함께 깊이 반성하고 고민해야 할 문제가 아닐까.

물론 대학교육을 받았다고 해서 다 유복한 환경에 태어난 것은 아닐 것이다. 자식에게만은 어떻게 하든지 자신의 설움과 고생을 물려주지 않으려는 부모의 비원과 천신만고에 의해 대학교육을 받았을 수도 있고 본인의 굳은 의지로 고학을 했을 수도 있으리라. 그렇더라도 이 땅에서 대학까지 나왔다는 건 소수 특별한 사람에게만 허락된 특혜라는 걸 잊어서는 안된다. 내 실력으로 입학시험에 붙었고 내 부모가 등록금 대줬으니까 대학을 나올 수 있었다고만 생각하면 속은 편할지 모르지만 지성인다운 생각은 아니다. 특별하게 혜택을 받은 사람이 있으면 반드시 특별하게 못 받는 사람이 있게 마련이라는 생각은 얽히고설켜 더불어 사는 인간사회에 대한 올바른 인식의 시작이다.

부모에게뿐 아니라 이 사회에도 빚을 진 것 같은 채무 의식과 갚으려는 책임감의 결여는 나의 편견인지는 몰라도 남성보다 여성 고학력자가 더 심한 것 같다. 남성처럼 졸업 후 고루 사회활동의 기회가 주어지지 않기 때문에 학력이 보다 이기적인 목적에 봉사할 수밖에 없다는 변명도 가능하긴 하다. 그러나 빚을 갚을 마음은 있는데 기회가 주어지지 않는 법이 과연 있을까. 빚을 갚을 마음만 있다면 파출부 아줌마나 내 자식의 가난한 학교 친구에게 그렇게 교만하고 몰인정할 수는 없는 일이다. 다름아닌 바로 그런 사람들한테 빚을 지고 있을지도 모르기 때문이다.

또 사회활동의 문제만 해도 돈을 버는 취직의 문은 아직 좁을지 모르지만 보다 나은 사회를 이룩하는 데 이바지할 수 있는 길은 무진장하다고도 볼 수 있다. 요는 보다 나은 사회적 조건에 대한 꿈, 즉 이상(理想)을 가졌느냐 못 가졌느냐가 먼저지,

방법은 그 다음 생각해도 될 일이다. 이상의 결여야말로 오늘날의 여성 고학력자들의 가장 큰 허점이 아닐까.

높은 학력의 젊은 엄마들의 공통의 관심사인 아이들 교육문제만 해도 그렇다. 엄마들 개개인은 다들 바람직한 교육환경에 대한 꿈이 있고 오늘날의 학교가 왜 이렇게 되었는지 모르겠다는 분개도 열렬하다. 그러나 실제의 그들의 행동은 더욱 학교와 아이들을 망치는 쪽으로 치닫고 있다. 그러고도 교육을 망치는 건 자기만 제외한 모든 남들이라고 생각한다. 이상이 공상이나 환상과 다른 것은 그것이 지성의 산물일 뿐 아니라 현실적인 뜻을 가지고 행동을 방향짓기 때문이다. 이성으로는 그래서는 안된다는 걸 알면서도 행동은 그래서는 안되는 방향으로만 하고 있는 건 이상보다는 당장의 욕심이 앞서기 때문이다. 고학력 부모가 많은 학교일수록 아이들의 성적은 우세할지 모르지만 교육이 들어설 자리는 없어져간다는 어느 국민학교 교사의 한탄은 귀담아들을 만한 말이다.

사회 참여란 별건가. 비근한 예로 자기 지역 내의 자기 자식이 다니는 학교에 교육을 회복하는 것도 훌륭한, 그리고 시급한 사회 참여다.

어쩌 처음부터 미운 여자 얘기만 한 것 같다. 이왕 내친 김에 미운 여자 얘기를 다하고 끝마쳐야겠다. 꿈 대신 욕심만 있는 여자, 끝없는 물욕을 높은 이상으로 착각하고 있는 여자는 밉다. 자신의 성취욕이 온통 자식과 남편한테로 뻗친 여자도 밉다. 세 살 적 응석을 언제까지나 아무데서나 부리는 여자도 밉다. 특히 직장에서 자신의 무능이나 부족함을 응석으로 때우려는 여자는 자기도 모르게 같은 여자의 일자리를 막아서고 있으므로 미울 뿐 아니라 곤란하다. 대학을 졸업하고도 평생 교육장의 모든 과를 두루 섭렵하고 온갖 취미생활을 다 한번씩 집적거려 보고도 자기가 정말 원하는 게 뭔지 알 것 같지 않은 여자도 밉다. 유명 라벨의 고급옷으로 빼입고 노점상한테 천원어치 사고 덤 한 알 더 얻으려고 악을 쓰는 여자도 밉다.

  여자가 아름답다는 건 한 가정에뿐 아니라 한 나라에도 큰복이다. 가정이나 나라가 고난에 처했을 때 우리의 어머니나, 어머니의 어머니, 어머니의 어머니의 어머니가 얼마나 아름답게 처신했던가는 상기해볼 만하다.

 버스 속에서

아이를 꼬옥 안고 젖을 물리고 있을 때,
어머니는 제 품의 아이가 자라 장차 무엇이 될까는 점칠 수 없어도,
내 애기만은 결코 악한 인간은 될 수 없다는 신앙과도 같은 믿음을 갖게 된다.

버스 속에서

　며칠 전 시내버스 안에서의 일이다. 젊은 엄마가 애기를 업고 차에 올랐는데, 차가 떠나자마자 애기가 몹시 울었다. 숨이 막힐 듯한 심한 울음이었다. 사람들이 딱하게 여겨 자리를 내주어 애기엄마가 편히 앉아 애기를 돌려 안을 수 있게 해주었으나 애기의 울음은 그치지 않았다. 드디어 애기엄마가 앞가슴을 뒤적뒤적하더니 젖을 꺼내 물렸다. 애기의 울음은 뚝 그쳤다. 아마 배가 몹시 고팠든지, 아니면 처음 타보는 차라 놀라서 울다가 젖을 물자 안심을 되찾았는지, 둘 중의 하나였을 것이다. 우선 마음이 놓였다.

　그런데 문득 나는 애기에게 젖을 물리고 있는 모습에 민망함이랄까, 혐오감이랄까 그런 걸 느끼고 슬그머니 시선을 딴 데로 돌렸다. 그리곤 내가 어느 틈에 이렇게 고도로 문명화(?)되어

버렸나 하는 당혹감에 사로잡혔다.

실은 나는 요새 젊은이들이 들으면 그야말로 야만인 취급을 할 만큼 많은 애를 낳아서, 그 여러 애를 순전히 내 젖으로만 길렀다. 그렇게 키운 애 중 막내애가 지금 열두 살이니 내가 젖을 물린 지가 10년 남짓밖에 안된 셈인데, 어쩌자고 젖 물리는 엄마 모습이 그렇게 낯설었는지, 그리고 잠깐이나마 혐오감까지 느꼈었는지 모르겠다.

그만큼 요새는 도시에선 인공 영양이 널리 보급되어 제 젖을 애기에게 물리는 엄마를 좀처럼 구경할 수도 없게 됐다.

나는 시부모님들을 같이 모시고 있어 정초나 생신 같은 땐 친척의 여러 새댁들이 우리집에 모이게 된다. 수줍은 새댁이었던가 하면, 어느 틈에 첫 애기를 낳아서 안고 온다. 애기를 데리고 오는 나들이가 자못 거창하다. 기저귀가 한 보따리에 분유통·곡분·보온통·우유병·젖꼭지·우유에 탈 각종 영양제까지 한 살림 넉넉히 차릴 만한 보따리가 따라온다.

브래지어로 강조한 가슴은 풍만하고 아름다운데, 그 가슴을 헤치고 젖을 먹이는 새댁은 거의 없다. 직장을 가진 것도 아니요, 젖먹이기를 꺼릴 만한 나쁜 병이 있는 것도 아니요, 가정 형편이 넉넉한 편도 아니다. 어느 모로는 우유값도 큰 부담이 될 만큼 경제적 기반이 아직 안 잡힌 신접살림들이다.

젊은 엄마들은 다만 인공 영양을 더 좋은, 더 과학적인 육아의 방법으로 알고 있을 뿐이다. 그래서 좋은 분유를 선택해서 거기다 영양제까지 타서 잘 소독한 병에 넣어 시간과 정량을 엄하게 지켜 먹이는 게 교육받은 현대적인 엄마 노릇으로 알고 있다.

실제로는 그런 인공 영양아가 모유 영양아보다 체중이나 기타 신체 발달면에서 월등히 앞서, 우량아 선발대회를 휩쓰는 모양이다.

아이를 잘 기르고, 잘못 기르고의 기준까지 도량형(度量衡) 단위의 명확한 숫자가 지배하고 있는 셈이다.

잘 키워진 애기는 잘 키워진 배추나 무하고는 다른 무엇이 있어야 되지 않을까? 도량형 단위 측정을 거부하는 애기다움, 아름다운 사람다운 사람으로의 싹수 같은 것 말이다.

우리가 애를 낳아서 젖을 먹여 기를 때만 해도 젖을 단순한 영양분 이상의 신비한 것으로 알았었다. 특히 첫애를 낳고서의 첫번째 수유(授乳)는 거의 종교적일 만큼 경건한 의식이었던 게 지금도 생생하게 기억된다.

병원에서 퇴원해서 돌아오면 우선 익모초를 약간 넣고 끓인 온수가 준비되어 있어, 그 씁쓸하고 향긋한 물에 젖가슴을 골고루 씻고, 다시 따뜻한 맹물로 헹구고, 그리고 비로소 첫번째 젖을 물렸다. 특히 처음 돌아나오는 젖은 신성한 걸로 알아, 시어머니나 시댁 어른들이 지켜보는 가운데 부끄러움과 젖꼭지의 아픔을 무릅쓰고 열심히 빨리던 생각이 난다.

나중에는 젖이 잘 돌아 애기가 먹고 남아 짜내는 일이 있을 때도, 깨끗한 흰 사발을 정해놓고 그 그릇에만 짜내야 했고, 부정탄다고 하수구에 짜낸 젖을 버리는 것조차 금지돼, 장독대에 조금씩 뿌리면서 마음속으로 이렇게 먹고 남게 충분한 젖을 주신 삼신 할머니께 감사해야 했다.

또 산모의 영양도 중요시했지만, 산모의 마음의 화평이 젖의 양과 가장 밀접한 관계가 있는 것으로 믿어져 산모가 조금이라도 마음 상하는 일이 없도록 온 집안이 세심하게 보살폈다.

나도 이런 시댁 어른들 하시는 일에 마음으로부터 복종했던 것은 아니다. 다만 그 무렵까지 우리 집안에 잔존했던 옛 풍습을 통해 옛날 사람들이 얼마나 젖이라는 걸 신성시했나를 알 수 있고, 아울러 옛 사람들의 인간존중 사상까지 짐작돼 아련한 향수를 느낄 뿐이다.

요새 인공 영양으로 아이를 기르는 젊은 분들 중에는, 과거에 모유로 기른 이들은 되는 대로 비위생적으로, 그야말로 거저 먹기로 아이를 기른 줄 알고 경멸감조차 나타내려 하는 분들이 있다. 그리곤 인공 영양의 어려운 점과 우수한 점을 과학적으로 따져 가며 열거한다.

나는 거기 반박해 모유의 우수성을 증명할 전문적인 지식을 갖고 있지는 못하다. 그렇지만 제 젖을 먹여 아이를 기르는 어머니들은 우유에 영양제를 타듯이 젖 속에 무엇을 타서 먹이지는 못하더라도 영양제 이상의 그 무엇을 젖과 함께 아이에게 주고 있다고 나는 확신하고 있다. 사랑하고도 다른 그 무엇을……

아이를 꼬옥 안고 젖을 물리고 있을 때, 어머니는 제 품의 아이가 자라 장차 무엇이 될까는 점칠 수 없어도, 내 애기만은 결코 악한 인간은 될 수 없다는 신앙과도 같은 믿음을 갖게 된다.

제 젖을 아이에게 물려본 어머니라면 내 말을 단박에 이해할 줄 안다. 그건 체험을 해본 사람만이 아는 독특한 느낌이다.

이런 인간 선의(善意)에 대한 확고한 믿음은 얼마나 소중한가? 이런 믿음은 모자(母子)를 동시에 안심시키고 충족시킨다.

실제로 어머니 젖을 먹고 자란 애기는 본질적인 악인은 절대로 될 수 없다는 게 내 소신이다.

버스 속의 애기는 새근새근 잠들어 있었다. 나는 난생처음 경험한 탈것의 충격으로부터 엄마의 젖꼭지를 의식함으로써 안심을 되찾고, 깊이 잠들기까지 한 애기에게 말없는 축복을 보내고 버스를 내렸다.

버스 속에서

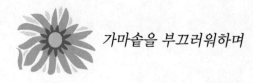 가마솥을 부끄러워하며

국가적으로 볼 때 정말 여성의 고등교육이
밑 빠진 가마솥에 물 붓기라면 거기서 본 손해의 막대함은
어디서 당장 석유가 솟아오른다 해도 메우기 힘들 만한 것이 될지도 모른다.

가마솥을 부끄러워하며

막내가 올해 대학에 입학했다.

올해도 대폭 인상된 등록금에도 불구하고 신입생 등록을 하는 날은 아침부터 흐뭇해서 싱글벙글했다.

끔찍히도 좋은가 보다고 놀리는 식구들한테는 이제 자식들의 그 혹독한 입시투쟁을 거들고 애태우는 일로부터 아주 놓여났으니 춤인들 못 추겠냐고 한술 더 떴다.

그러나 내가 정말 기뻐했던 까닭은 그 애가 막내였다는 데 있는 게 아니라 그 애가 아들이었다는 데 있었는지도 모르겠다.

위로 딸을 여럿 내리 기르면서 조금도 아들과 차별해서 기른 적이 없다.

그 딸들이 대학에 들어갈 때라고 애태우고 기뻐하지 않은 일이 없건만 딸의 등록금 낼 땐 얼핏 허전한 마음이 드는 건 어쩔 수가 없었다. 그렇다고 그 돈이 조금이라도 아까웠던 것도 아닌 묘한 기분이었다.

아들의 등록금을 내면서 딸 적의 허전했던 마음이 결코 아들 딸을 차별해서 사랑했기 때문이 아니라, 돈 그 자체의 투자가치에 대한 불확실성 때문이었다는 걸 알 것 같았다.

아들의 등록금을 내면서도 나는 한 번쯤은 투자가치가 있는데 투자해보는구나 하는 생각을 무의식중에 했었는지도 모른다.

여기서 투자가치라고 한 것은 어디까지나 본인 위주의 것을 말하려는 것이지, 아들은 내 집 식구요 딸은 종당엔 남의 식구가 된다는 부모 위주의 것을 말하려는 것은 물론 아니다.

언젠가 여자대학 졸업식에서 어떤 아버지가 파안대소하면서 한 말이 잊혀지지 않는다.

「이 아름다운 캠퍼스, 이게 실은 거대한 밑 빠진 가마솥이죠.」

이건 물론 하객을 웃기기 위한 우스갯소리에 지나지 않았을뿐더러 그 아버지의 파안대소엔 그동안 밑 빠진 가마솥에 퍼부은 걸 아까워하는 티는 눈을 씻고 찾아볼래야 찾아볼 수 없었다.

그러나 풍기는 일말의 쓸쓸함을 달랜 순 없었다.

대체로 이런 것들이 오늘날의 여성교육의 실태의 일부가 아닌가 싶다.

이제 사랑이나 교육에 있어서 아들딸을 차별해서 기르는 부모는 거의 없다.

입시에 아들이 실패했을 때보다 딸이 실패했을 때 더 깊이 상심하는 부모를 본 적도 있다.

아들은 학벌이란 간판 없이도 실력으로 살 길이 얼마든지 있지만 딸은 간판 없이 어떻게 시집을 보내냐는 거였다.

그래서 밑 빠진 가마솥에 퍼붓는 일이 남의 일이란 생각을 부모들은 꿈에도 안한다.

그러나 국가적으로 볼 때 정말 여성의 고등교육이 밑 빠진 가마솥에 물 붓기라면 거기서 본 손해의 막대함은 어디서 당장 석유가 솟아오른다 해도 메우기 힘들 만한 것이 될지도 모른다.

또 여성 개개인의 입장에서도 자신이 송두리째 낭비될지도 모른다는 운명에 대해 이제 진지하게 회의하고 부끄러워할 때도 되지 않았나 싶다.

물론 우리 사회가 제도적으로 철석같이 보장하고 있는 남녀의 기회의 불균등으로 여성은 자신의 낭비를 얼마든지 변명할 수도 있다.

여직껏도 우리 여성은 그래 왔고, 모든 여건은 그런 변명을 도와주는 방향으로만 흘러왔다.

그러나 개개인에게 소중한 건 어디까지나 그 자신일 뿐이다.

중요한 건 자기도 뭔가를 책임질 수 있는 인간임을 증명하는 것이지 합당한 변명으론 아무 책임도 없다는 걸 증명하는 건 아니다.

기회의 불균등이란 사회적인 여건에만 책임을 돌릴 게 아니라 여성의 이런 무책임성이 사회적인 여건의 불공평을 가져왔을지도 모른다는 생각도 조금씩 해봐야 할 것 같다.

여성의 고급인력을 필요로 하는 일터가 결코 여성의 고등교육의 기회가 늘어난 것만큼 늘어나지 않는 건 그런 일터를 이미 거쳐간 여성에게 보다 많은 책임이 있을 수도 있다.

「내 아니꼽고 더러워서 직장을 옮기든지 해야지, 그 여자 아랫사람 부리기를 마치 집에서 식모 부리듯 한단 말야.」

이런 여성 고급인력 기피현상도 여자 밑에서야 어떻게 일할 수 있겠느냐는 남자들의 뿌리 깊은 여비(女婢)사상일 뿐이라고만 몰아붙일 게 아니라 일리가 있는 부분은 수긍할 줄도 알아야겠다.

남녀의 기회가 균등해지기 위해선 먼저 구색이나 동정, 말막음으로 주는 일자리나 얻는 신세에서 벗어나 능력에 의해 필요로 하는 인재가 되려는 여성 자신의 분명한 의식의 변화가 있어야 할 것이다.

가마솥을 부끄러워하며

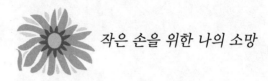

작은 손을 위한 나의 소망

내 딸의 작은 손이 고통받는 사람을 위한 약손이 되어지이다.
그리고 내 딸 같은 아직 미숙한 의학도에 의해 무참히 분해당한 이름 없는 주검들이여,
제발 원한 품지 말고 고이 잠들지이다, 라고 간절히 기도드리는 마음이다.

작은 손을 위한 나의 소망

　가끔 딸애들 방을 청소해줘야 할 때가 있다.

　다 큰 애들이니까 저희들이 치우기로 돼 있지만 가끔 고양이 낯짝 씻듯이 눈에 보이는 곳만 겨우 쓸고 닦고 지내는 게 뻔하기 때문이다.

　어쩌 방에 개미가 있다 싶어 살펴보면 장롱 밑에 과자 부스러기나 사과 속 같은 게 남아 있기도 하고, 언젯적부터 짝짝이가 된 채 굴러다니는 양말의 짝을 찾아내는 수도 있다.

　뒤죽박죽이 된 여름옷과 겨울옷을 가려서 넣어줘야 할 때도 있고, 빨아야 할 것을 빤 것 사이에서 찾아내는 수도 있다.

　그러나 아이들이 어른(대학생)이 되고 나면 이런 일도 안해주게 된다. 대학생이 됐다고 별안간 깔끔해지는 건 아니지만, 청결보다 더 존중해줘야 할 게 있는 것 같아서이다. 프라이버시, 자주성 이런 것 말이다.

또 아무리 부모 자식이라지만 잠겨 있는 서랍, 발신인의 이름이 낯선 편지, 못 보던 장신구 등에 대한 어른의 호기심은 어느 만큼은 천박할 수밖에 없고 보니, 될 수 있는 대로 그런 천박한 호기심이 동할 기회는 안 가지려 하는 것도 이유 중의 하나라면, 아마 그건 자식을 위한 배려이기보다는 나 자신의 자존심을 위한 배려가 되리라.

그러나 이런 원칙을 깨고 며칠 전에 딸의 방을 청소하는 일을 또 하고 말았다. 뭐가 그렇게 바쁜지 너무 심하게 어지러뜨리고 나갔길래 들어오면 나무랄 것을 벼르는 것만 갖고는 직성이 풀리지가 않아서였다.

치우다가 이상한 걸 하나 발견했다. 기다란 몽둥이였다. 아래위가 뭉툭한 몽둥이인데 나무나 나무뿌리로 된 것도 같고, 동물의 뼈로 된 것 같기도 했다.

별로 쓸모가 있어뵈는 건 아니었지만 깨끗한 종이에 꼼꼼히 싸놓은 걸로 봐서 쓸모와는 상관없이 소중한 건지도 모르겠다 싶었다.

젊은이들이란 하찮은 작은 조개껍질이나 마른 들꽃을 소중하게 간직하고 있다가 어느 사이에 가선 훌쩍 먼지처럼 털어버리는 걸 흔히 본다.

간직하고 있는 동안은 조개껍질이 조개껍질이 아니라 찬란했던 여름일 수도 있고, 마른 들꽃이 크고 아름다운 산일 수도 있

작은 손을 위한 나의 소망

다는 걸 어찌 모른다 할 수 있으랴. 샘은 낼지언정 어찌 모른다고야 할 수 있으랴.

나는 그 못생기고 쓸모 없는 몽둥이도 그런 것의 일종으로 가볍게 받아들이고 밀어놓고는 이내 잊어버렸다.

그런데 어느날 아침, 딸애가 한 아름의 책과 함께 갖고 나가는 걸 보니, 그 종이에 싼 몽둥이였다.

나는 무심코 그게 뭐냐고 물어봤다. 딸이 대답을 얼른 못하고 우물쭈물하는 게 꼭 거짓말을 꾸며대긴 대야겠는데 마땅한 거짓말이 쉽사리 떠오르지 않을 때에 누구라도 지을 수 있는 난처한 표정이었다.

이렇게 되니까 무심히 보아 넘겼던 것이 부쩍 의심스러워질 수밖에.

「그게 뭐냐니까?」

나는 다시 물었다.

「엄만 안 보시는 게 좋을 거예요.」

딸이 어느 틈에 난처한 표정을 수습하고 늠름하게 대답했다.

나는 속으로 야 요것 봐라 싶었다. 자식으로부터 듣는, 안 보는 게 좋을 거라느니 모르는 게 좋을 거라니 하는 말은 과히 기분 좋은 말은 아니다.

「벌써 봤다. 일부러 몰래 본 건 아니지만.」

나는 변명을 곁들여가며 그것을 이미 보았음을 밝혔다. 딸의

작은 손을 위한 나의 소망

안색이 변하는 걸 뻔히 바라보면서.

「보셨으면 아시잖아요?」

「봐도 모르겠으니까 뭐냐고 묻지 않니?」

딸의 얼굴에 천진한 장난기가 어렸다. 나는 속으로 쟨 왜 저렇게 어려보일까 하고, 몽둥이에 대한 궁금증과는 전혀 딴 생각을 하고 있었다.

「휴머라는 거예요.」

「휴머? 그게 뭔데? 나무 이름이냐? 동물 이름이냐?」

딸이 장난기를 거두고 정색하고 말한 바에 의하면 휴머는 인체(人體)의 대퇴부(大腿部)의 뼈 이름이란다. 그러니까 그 몽둥이 같은 건 무릎까지의 사람의 뼈였던 것이다.

참 밝혀둘 것을 잊었다. 그 딸은 의과대학 의예과를 마치고 이제 겨우 본과로 진입한 아이다.

「그, 그걸 왜 가져왔니? 집에까지.」

나는 이렇게 경망스럽게 놀라고 나서 곧 후회를 했다. 왜 가져왔나, 그 이유는 둘째고 딸은 그것과 더불어 며칠을 같이 자기도 했는데 명색이 어른이 무섭고 징그러워할 줄밖에 몰랐으니 말이다.

딸은 나에게 차근차근 설명을 했다. 그 뼈는 전체적으로 〈휴머〉라 부르지만, 다시 세분해서 외워야 할 수많은 명칭을 갖고 있노라고. 거기 뚫린 바늘구멍만한 작은 구멍도 그냥 있는 게 아니라 각기의 미묘한 구실이 있고, 부르기도 외기도 까다로운

명칭이 있어 그걸 책과 대조해가며 공부하기 위해 가져왔노라
고 했다.

딸이 그걸 나에게 설명하는 동안 나는 딸이 어른이고 내가
아이가 된 것 같은 착각에 빠졌다.

딸애가 나가고 나서도 나는 온종일 심각한 근심에 빠졌다.

아무것도 손에 잡히지 않아 방안을 왔다갔다 안절부절을 못
하면서 그 애가 앞으로 감당해야 될 어렵고 어려운 일에 대해
생각했다.

실상 이런 근심이란 이미 때늦은 감이 없지 않다. 좀더 미리
했었어야 옳았을 것이다.

딸이 하고많은 대학 중에서 의과대학을 선택할 당시 이런 걱
정을 했던들 나는 딸과 좀더 거기에 대해 의논할 시간을 가졌을
것이다.

그때도 의학 공부라는 게 여자에게 벅찬 공부라는 건 알았지
만, 제가 하고 싶어하는 것, 제가 선택한 것에 대해서는 일단은
하도록 내버려두고 보기로 하고 있는 우리의 여직껏의 방임주
의를 그 애한테서만은 변경할 필요까진 느끼지 않았었다.

다 자라 대학 갈 때, 저 가고 싶은 데 가도록 내버려두는 걸
결코 부모로서 무책임한 일이라고 생각하지 않았다.

그러나 그게 다 지금 와서 후회스러운 걸 어쩔 수가 없었다.

의학을 하겠다는 것을 문학을 하겠다든가, 미술이나 가정 공

부를 하겠다는 것과 다르지 않게 생각한 것은 큰 잘못이나 아니었을까.

나의 애들 중에서 그 애는 특히 손발이 작다. 특히 손은 너무 작고도 가냘파서 꽃꽂이를 해도 행여 장미가시에 찔릴세라 애처로운 것 같다.

그리고도 그 작은 손은 아주 섬세하고 신경질적인 감각을 갖고 있어 가리는 것이 많다.

언젠가 그 아이하고 같이 새우를 까던 생각이 난다.

튀김을 위해 산 것이었으나 값싸고 작은 것이어서 뱅어 비슷한 작은 잡생선이 섞여 있었다.

그 애는 새우인 줄 알고 집은 게 밍클하는 물고기일 때마다 비명을 지르면서 손끝을 바들바들 떨었다.

나는 그 경망스러움을 나무랐지만, 그 밍클하는 것이 손에 닿는 게 도저히 견딜 수가 없다는 거였다.

그런 애가 사람의 뼈다귀를 겁도 없이 들고 다니고, 만지작거리며 머리맡에 둔 채 잠이 들 수가 있다니.

그건 그렇고 나 보기엔 아래위가 뭉툭한 뼈다귀 하나에 그렇게 수없는 명칭이 붙어 있다니, 대퇴골이란 뼈 중에서는 가장 단순한 것이련만.

도대체 사람의 몸이란 얼마나 많은 골절로 돼 있는 걸까.

나는 그게 사람의 뼈라는 걸 안 후엔 놀랐지만 그 전엔 아무렇지도 않았다. 그건 단순하고 단단하고 정결했다. 시각이나 촉

작은 손을 위한 나의 소망

각에 특별히 저항해오는 아무것도 없었다. 하다 못해 냄새조차 맡은 것 같지 않다.

그만큼 뼈란 사람의 몸 중에서 가장 깨끗한 부분이다.

그러나 사람의 아름다운 외양과 단단하고 정결한 골격 사이엔 얼마나 많은 보기 싫고, 징그럽고, 냄새 나고, 뭉클하기도 하고, 밍클하기도 하고, 느글느글하기도 한 게 있을 것인가. 나는 아름다운 인두겁이 은폐하고 있는 갖가지의 징그럽고 추한 것을 상상하고 새삼스럽게 전율했다.

내 딸이 그걸 일일이 꺼내보고, 만져보고, 썰어보고, 확대해보고 해야 하다니, 거기엔 또 얼마나 많은 명칭이 있을 것인가.

그것들을 일일이 외워야 할 뿐 아니라 이해해야 하고, 그것들은 각각 홀로 있는 게 아니라 관계되어 있는 것이니, 분석만해서 이해할 게 아니라 종합해서 이해해야 한다.

인체를 뒤집어 그 내부를 세분, 분석해서 확인하고 다시 조립해서 이해해야 한다. 라디오나 전기 다리미가 아닌 사람의 몸을.

미꾸라지나 뱅어도 못 만지는, 닭이나 생선 밸 한번 못 따본 내 딸이 이 무슨 끔찍한 업을 걸머지려는 걸까.

딸 기르는 사람이면 누구나 다 그렇겠지만 나 역시 딸을 고생 모르게, 좋은 소리만 듣게, 아름다운 것만 보게 기르느라 애썼고, 앞으로도 시집이나 잘 가 고생스러운 것, 추한 것, 모진 것으로부터 보호받으며 곱게 살길 바라고 있다.

지렁이 한 마리를 밟고도 자지러지게 놀라는 여자가 되어도 나쁠 것도 없다고 생각했다.

　나는 기회 있을 때마다 여자도 일을 가질 것을 주장해온 사람이다. 그러나 남자가 하는 일이면 뭐든지 다 여자도 해야 한다고 생각했던 것은 아니다.

　남녀가 유별하되 같이 사는 게 자연스러운 것처럼, 같이할 수 있는 일도 있고 남자만 할 수 있는 일, 여자만 할 수 있는 일이 따로 있는 것이 자연스럽다고 생각했었다.

　이런 나의 생각이란 그럴듯하면서도 실은 얼마나 엉터리였던지, 여자 의사는 좋지만 의사가 되기 위한 그 어려운 과정은 여자에게 암만해도 부당하다는 모순에 부딪혀 어쩔 줄을 모르고 있는 것이다.

　그러나 그 길을 스스로 선택한 딸은 거기 따른 어려움을 미리 각오하고 준비하고 있었으리라 믿고 싶다.

　그러나 무거운 책과 함께 그 휴먼지 뼈인지를 소중하게 싸들고 나간 작은딸은 암만해도 애처롭고 두고두고 마음에 걸릴 것 같다. 그렇다고 그 길을 포기하기를 바랄 수도 없고 이왕 들어선 그 길을 늠름하게 갔으면 싶다.

　남학생들과 더불어 여러 가지 고되고 어려운 일을 할 때, 행여 엄마하고 새우 깔 때처럼 엄살을 부려서 야유나 경멸을 받는 일이 있을까도 걱정된다.

　그 일을 남자들과 똑같이 할 수 있으되 목석 같은 마음으로

서가 아니라 인간에 대한 사랑과 생명에 대한 경건성을 갖춘 참다운 용기로서 할 수 있었으면 싶다.

그건 참으로 어려운 일일 것이다. 그러나 내 딸은 꼭 그럴 수 있도록 바라는 마음이 간절하다 보니 어디다 대고 기도라도 드리고 싶다.

아직 종교가 없지만 나보다 현명하고 겸허한 사람들이 믿어온 온갖 신에게 기도드리고 싶다.

내 딸의 작은 손이 고통받는 사람을 위한 약손이 되어지이다. 그리고 내 딸 같은 아직 미숙한 의학도에 의해 무참히 분해당한 이름 없는 주검들이여, 제발 원한 품지 말고 고이 잠들지이다, 라고 간절히 기도드리는 마음이다.

 살아 있는 날의 소망

어머니를 보면서 곧 나에게도 닥쳐올 늙음 끝의 소멸을
예감하는 일이 쓸쓸하고 서글픈 일이라면, 손자를 통해 늙음이
남기고 가는 힘찬 생성을 확인하는 일은 기쁘고 찬란한 일이다.

살아 있는 날의 소망

올 여름은 무슨 일인지 도무지 더운 줄을 모르고 지냈다. 더
위에 잠을 못 이루고 몇 번씩 찬물을 끼얹으러 드나드는 대신
새벽녘이면 으슬으슬 한기가 돌아 차렵이불을 턱밑까지 끌어올
려 꼭꼭 여미면서 혹시 이런 기상이변이 인간의 잘못에 대한 하
늘의 벌이 아닐까 싶은 원시적인 공포로 잠을 설치곤 했다.

그렇다고 무엇을 어떻게 잘못했다고 꼭 집어서 간절히 뉘우
칠 수나 있었으면 좋으련만 그렇지도 못하다. 마치 잘잘못을 깨
우치기 전의 어린시절로 퇴행해버린 것처럼 보고 듣는 게 그저
어리둥절할 뿐 옳고 그름의 판가름은 좀처럼 서지 않는다. 장난
이 심한 어린애한테 〈에비다, 에비〉하는 말로 사물을 만져보
고 확인하려는 일을 심하게 제한하면 소심한 눈치꾸러기가 되
기 쉽다. 어른도 마찬가지인 것 같다. 다른 게 있다면 어른에겐

아이들 같은 사물에 대한 신선한 호기심이 없기 때문에 조심성에 길들여지기가 좀더 쉬울 뿐이다. 그러나 보고 듣는 모든 것을 〈에비〉일지도 모른다는 두려움 먼저 가지고 대한다는 건 불행한 일이다.

올 여름엔 교회를 두 번인가 나가봤다. 친정도 시댁도 유교와 불교가 적당히 혼합된 집안이다. 그건 종교라기보다는 일종의 가풍 같은 거였다. 그런 집안에서 아이들까지 거느리고 교회에 나갔다는 건 내 나름대론 획기적인 일이었다. 〈에비다, 에비〉하는 공포의 힘보다는 사랑의 힘에 더 의지하고 싶은 마음 때문이었을 것이다. 또 참으로 회개하고 싶었다. 회개란 마음 편하기 위해 될 수 있는 대로 아무것도 모르고 있으려는 닫힌 마음을 두드리는 일이 될 수도 있다고 생각했다.

그러나 나의 교회행은 두 번으로 끝나고 말았다. 교회 구경을 했을 뿐 믿음으로 이어지진 못했다. 두번째 갔을 때 시간이 좀 늦어서 본관으로 들어가지 못하고 별관에서 예배를 보게 됐다. 별관도 신도들로 만원이었다. 그러나 텔레비전이 설치돼 있어서 설교하는 목사님의 모습을 본관에서보다 더 잘 볼 수가 있었다. 그 교회에서도 설교 잘하시기로 이름 있는 목사님의 설교는 유창하고 구구절절 옳은 말씀이었다. 그 길고 긴 옳은 말씀이 단 한번의 막힘이나 망설임도 없이 어쩌면 그렇게 청산유수인지 감명 깊다기보다도 듣기에 매우 쾌적했다. 하긴 옳은 말씀이니 막힘이나 망설임이 없는 것도, 듣기에 쾌적한 것도 당연했다.

그러나 나는 화면에 비친 목사님의 말씀 잘하는 입에 느닷없이 미움 같은 걸 느끼고 얼른 외면을 하고 말았다. 그런 생각이 든 게 잘못이었다. 나는 회개도 기도도 할 수가 없었다. 내 주위에서 고통스럽게 기도하고 회개하는 신도들이 고통을 낭비하고 있는 것처럼 안돼보이기까지 했다.

그리고 나서 다시 교회에 나가지 않은 채지만 텔레비전 같은 데서라도 누가 너무 말을 유창하게 하면, 그 말을 새겨듣기 전에 우선 그 입이 먼저 보기 싫어 후딱 꺼버리는 증세는 무슨 병처럼 아직도 가끔가끔 재발을 하고 있다. 더 나쁜 것은 그런 고약한 증세가 생기고부터는 도무지 글을 쓸 수가 없다. 작가가 글을 못 쓸 때처럼 절망스러울 때는 없다. 소설을 쓰자니 앞에 뭐가 탁 가린 것처럼 한치 앞도 안 보이니 못 쓰겠고, 적당히 지당한 말을 엮어서 잡문이라도 쓰려면 내 입이 당장 그 말 잘하는 입으로 객관화되는데, 그건 내가 본 미운 입 중에도 으뜸가게 미운 입이어서 그걸 지워버리기 위해서라도 쓰는 일을 포기하고 만다.

그러면서도 이번 여름에 소설을 억지로 한 편 쓰고 말았다. 배지 않은 애기를 낳는 것만큼이나 순전히 억지로 쓴 소설이었다.

억지란 고통하고도 또다른 거다. 고통스럽되 뒤끝이 헛되고 헛되다. 배지 않은 애기를 낳는 억지 몸짓은 안해야 된다는 걸 알면서도 무슨 유행가 가사처럼 〈마음 약해서〉 원고청탁을 너무 여러 번 허탕치게 하고 나면 그만 억지 용이라도 쓰기 시작한다.

한치 앞도 안 보이게 앞이 탁 막힌 기분으로 소설을 쓰자니 방법은 하나밖에 없었다. 나는 뒷걸음질을 치기 시작했다. 무턱대고 뒷걸음질을 쳐 아득한 어린 날에 탐닉하고 해묵은 슬픔을 휘저어서 그 속에서 아직도 반짝거리고 있는 사금파리들을 허둥지둥 주워모아 무슨 보석처럼 줄줄이 엮어서 소설이랍시고 만들어서 빚쟁이에게 쫓기는 것 같은 당장의 곤경은 면할 수가 있었다. 그러나 속 들여다 뵈는 속임수를 부리고 난 것 같은 꺼림칙한 뒷맛은 꽤 오래갈 것 같다.

이렇게 억지로 소설을 쓰고도 소득은 있다고 말하고 싶은데, 그건 딴 작가의 침묵이 마치 내가 쓰고 싶었던 걸작처럼 빛나 보이는 게 소득이었다면 또하나의 억지일까. 그러니까 말 잘하는 남의 입에 대한 미움은 결국 침묵도 임의로 못하는 자신의 입에 대한 증오의 투사(投射)였는지도 모르겠다.

올 여름에는 친정어머니가 자주 우리집에 와 계셨다. 손자들이 다 외국에 나가 있어서 적적하시고 핵가족에 밀려 외로우신 어머니를 낸들 어떻게 잘해드려야 옳을지 잘 모르겠다. 잡수시는 걸 잘해드리는 외에 어머니의 마음속에 헤아리고 사시는 보람을 느끼시도록 해드리기엔 멀리 못 미치고 있다. 정성이나 애정이 부족해서라기보다는 요새 가장 흔한 말로 세대차라는 게 그분을 외롭게 하는 걸 어찌해볼 수가 없다.

나는 그분을 사랑한다. 나에게 좋은 일이 생겼을 때, 우선 그

살아 있는 날의 소망

분에게 알려서 그분이 기뻐하시는 모습을 뵙는 게 나의 첫번째 일이다. 만약 그분이 안 계셔서 나의 좋은 일을 첫번째로 알릴 고장을 잃는다면 나의 좋은 일은 얼마나 허망할 것인가. 그분의 파란만장한 팔십 평생을 헤아리면 절절한 연민으로 가슴이 아리다. 그분의 일생은 곧 우리의 근세사고, 굵직굵직한 역사의 발자취가 한번도 그분 곁을 그냥 지나친 적이 없다. 짓밟지 않으면 하다못해 발톱으로 할퀴고라도 지나갔다.

지금 그분은 조용히 내 곁에 와 계시다. 은빛 머리를 기름 발라 곱게 쪽찌고, 긴 치마에, 아무리 덥지 않은 여름이라지만 복중인데 솜버선까지 신으시고도, 밖에서 인기척이라도 나면 생고사 속적삼만 입고 계신 게 부끄러워 허둥지둥 모시 깨끼겹저고리를 찾아 입으셔야만 한다.

나는 그저 이 이조의 마지막 여인이 어렵고 조심스럽다. 그러나 그분이 무료를 달래기 위해 화투로 오관을 떼거나 거북점을 치시는 걸 물끄러미 바라보고 있으면 단순한 장난감 몇 개와 함께 놀아줄 사람도 없이 버려진 고아를 보는 것처럼 가슴이 뭉클해진다. 심심하시지 않도록 상대해드릴 수 있는 시간은 잠시 잠깐이고 그나마 건성이다.

효도라는 말의 격식과 위선이 싫어서 감히 사랑한다고 말했지만 세대간의 갭이란 사랑으로도 좁히거나 메울 수 있는 게 아니다. 그분이 외로움을 못 면하시는 한 나의 사랑도 가짜임을 못 면할 것 같다. 확실한 건 연민뿐이다.

어머니는 맨발이나 속적삼을 남에게 보이는 걸 부끄러워하시는 것만큼이나 남에게 알리기를 부끄러워하시는 게 또하나 있는데 그건 당신의 연세다. 누가 연세를 여쭤보면 소녀처럼 얼굴을 붉히시면서 「연화대로 갈 때가 예전에 벌써 지났다오」라고만 대답하신다.

「어머니도 참……, 남의 노인네들은 팔십이 환갑이라느니, 인생은 팔십부터라느니 하고 젊은 사람보다 더 활발하게 사시던데 여든이 뭐가 많다고 꼭 죄지은 사람처럼 구세요?」

나는 어머니가 당신의 연세에 떳떳하시지 못한 게 뵙기 민망해 이렇게 핀잔 섞인 투정까지 하게 된다.

「많지 않구. 에미 팔십은 아마 예전 어른 8백 년 몫은 될 거다. 아이 징그러워라. 볼 거, 못 볼 거, 별거별거 다 봤으니 이제 그만 훨훨 연화대로 가면 좀 좋으랴. 더 많이 보는 것도 욕이야.」

「어머니도 참, 어느새 망령이셔……」

나는 어머니가 툭하면 당신의 80년을 예전 사람의 8백 년과 동일시하는 이상한 시간관념을 단순한 노망으로 돌리고 일소에 붙였지만 속으론 저런 노망이 심해지면 어쩌나 은근히 걱정도 됐었다.

그러다가 우연히 토플러의 『미래의 충격』이란 책을 읽게 됐다. 나는 이 나이까지도 책을 닥치는 대로 가리지 않고 읽는 어려서부터의 남독의 습관에서 못 벗어나고 있지만, 근래엔 한여름만 되면 공상과학소설이나 미래소설을 골라 읽는 걸 남들의 바캉스처럼 즐기고 있었다. 전기 『미래의 충격』도 그런 유의 읽을거리인 줄 알고 읽기 시작했지만 전혀 그게 아닌데도 끝까지 안 읽을 수 없었다. 그만큼 흥미진진했다.

그 책에서 취급한 미래는 자유로운 상상력이나 황당한 공상으로 펼쳐보이는 미래가 아니었다. 미래에 대해서보다는 오히려 변화라는 것에 대해 더 많이 말하고 있었고, 변화라는 것을 미래가 급한 격류처럼 사정없이 우리 생활 속으로 밀려들어오는 과정으로 파악하고 있엇다. 이 책에선 또 두 발로 서고 두 손을 쓰는 인류가 이 세상에 생겨나서부터 시작된 변화가 최근 몇 십 년 사이에 얼마나 무서운 가속도가 붙었는지와 인간이 이런 격심한 변화에 부딪혔을 때 도대체 어떠한 상태가 될까, 그리고 어떻게 하면 미래의 변화에 적응할 수 있는가, 어떠한 경우에 적응이 불가능한가가 다루어져 있었다.

그 책을 읽고 나서 비로소 나는 어머니가 당신의 80년 생애를 옛사람의 8백 년 생애와 같게 치려는, 지극히 주관적인 시간관념이 실은 조금도 노망이 아니라 너무도 명석한 의식 때문이라는 걸 알아차리게 되었다.

이조 말엽에 태어나서 이 초산업화시대까지 살아오신 어머니의 한 생애가 겪은 변화의 부피는 거의 없거나, 있어도 아주 완만한 시대에 살던 사람들의 생애를 열 번 스무 번, 아니 서른 번을 겹쳐놓아도 오히려 못 미칠지도 모른다. 그 책 속에선 한 사

살아 있는 날의 소망

람이 그의 생애에서 경험해야 할 양이 근래에 와서 얼마나 늘어 났나를 다음과 같이 적절한 예를 들어 말해주고 있다.

1967년 3월 초에 동부 캐나다에서 11세의 어린이가 노쇠하여 사망한 사실이 있었다. 이 아이는 탄생한 연수로 본다면 겨우 11년에 불과했지만 〈프로겔리어〉라고 하는 기묘한 고령병에 걸려 실로 아흔 살 난 노인의 특성을 여러 면에서 보였던 것이 다. 그 병의 징후는 노쇠, 동맥경화, 탈모, 주름살투성이인 탄력 없는 피부 등인 것이다. 즉 그 아이는 긴 일생 동안에 일어나는 생물학적 변화를 11년이라는 짧은 기간 속에 압축시킴으로써 죽었을 때는 노인이었던 것이다. 〈프로겔리어〉라는 병은 극히 드문 병이지만 비유해서 말하자면 고도로 기술화된 사회에 있 어서는 누구나가 이 기묘한 병과 같은 현상으로 고통을 받게 된 다. 이와 같은 사회에 있어서는 인간은 나이를 먹어 노쇠하거나 하는 것이 아니라 변화가 놀랄 정도로 빠른 속도로 일어나기 때 문에 짧은 기간 동안에 너무 여러 가지 일들을 경험하게 된다는 뜻이다.

이 책에선 변화의 방향보다는 변화의 속도에 더 중점을 두고 있다. 환경이 변화해가는 페이스와 거기에 적응해가는 인간의 한정된 페이스 사이에 균형이 잡히지 않을 때 인간의 심성과 행 동이 어떻게 이상하게 변해가나를 여러 가지 측면에서 다각적 으로 보여주고 있었다.

나는 이 책을 읽고 나서 어머니의 이상한 시간관념과 어서어

살아 있는 날의 소망

서 연화대로 가시고 싶다는 소망을 비로소 이해한 것처럼 느꼈다곤 하지만 과연 그 이해의 방법이 옳았을까. 사랑하는 사람끼리는 말없이도 얼마든지 이해가 가능하다는데, 가장 사랑하는 분의 말씀도 못 알아듣고, 아니 알아들으려는 성의조차 없이 지내다가 사전에서 외국어 단어를 찾듯이 남이 쓴 책 속에서 비슷한 유형을 찾아내서, 옳거니 바로 이거였구나! 하고 무릎을 치는 따위의 방법이야말로 얼마나 메마르고 구역질 나는 현대적인 이해의 방법일까.

더웁지 않은 여름날, 그러나 하루도 빼놓지 않고 큰 변화가 계속되고 있는 여름날 그 변화의 페이스에 따라가기가 벅찬 나머지 문득 별의별 것 다 봤으니, 더 보는 건 욕이라면서 이제 그만 죽고 싶다는 어머니의 비극적인 소망에 공감하는 마음이 생기는 걸 보면, 나도 어쩔 수 없이 어머니와 함께 늙어감인가?

「어머니 오래오래 사셔야 아버지 곁에 누우실 수 있죠.」

나는 십중팔구는 빈말이 될 줄 알면서도 또 그 소리를 했다. 몇 년 전까지만 해도 어머니가 당신의 사후에 거신 가장 큰 소망은 휴전선 이북에 있는 아버지의 묘에 합장되시는 거였다. 그러나 이런 소망을 입에 담으시는 일이 없어진 지도 오래되었다. 명절이나 조상의 제사 때마다 돌볼 자손 없는 북쪽 땅의 선영을 근심하시며 추연해하시던 버릇도 잊으신 것 같았다. 아버지 곁에 누우셔야 한다는 내 빈말을 못 들으시는 척 어머니는 달력을 보시더니 푸듯이 말씀하셨다.

「거기 야다리는 아직 남아 있을까?」

「글쎄요.」

「그때도 아마 이맘때였지.」

「그럴 거예요.」

「임진각인지 판문점인지에서 망원경으로 보면 개성이 보인다는데 야다리도 뵐까?」

「글쎄요. 언제 한번 그쪽에 뫼시고 갈까요?」

「아, 아니다. 이제 와서 그까짓 야다린 봐서 뭣 하게.」

「하긴 그래요. 야다리가 뭐 별건가요? 예전 수표교 다리만도 훨씬 못한 걸 갖고……」

어머니와 나는 똑같이 개성의 야다리에 애틋한 향수를 지니고 있었지만 지니고 있는 사연은 서로 좀 달랐다.

내가 태어나서 자란 곳은 개성에서 20리쯤 떨어진 촌구석인데도 어려서부터 야다리 소리는 자주 들었다. 그 마을 사람들은 말을 잘 안듣거나 울기 잘하는 아이를 보면 야다리 밑에서 주워 온 아이라고 놀리길 잘했다. 나도 그런 놀림을 꽤 들으면서 자랐던 것 같다. 조금씩 철이 들 무렵 어머니는 나를 조부모님 밑에 떼어놓고 멀리 서울살림을 나셨기 때문에 나의 어린시절은 외롭고 쓸쓸했다. 동네 아이들하고 싸울 때마다 아이들은 「알라리, 쟤네 엄마는 야다리 밑에서 떡장수 한대요. 알라리」하면서 내 약을 올렸다. 나는 슬피 울면서 집 안으로 들어왔다. 방구석이나 헛간의 짚북더미 속에 파묻혀 훌쩍이면서 나는 마음껏 상상의 나래를 폈다. 나는 그때 서울 간 엄마말고 야다리 밑에서 떡장수 하는 생모가 따로 있었으면 하고 마음속으로부터 바랐다.

그때의 어린 마음에 서울은 너무 멀었다. 그리고 서울 간 엄마는 잔정이라곤 없이 엄하기만 한 분이었다. 나는 내가 바라는 상냥하고 다정한 엄마를 야다리 밑의 떡장수에게 하나하나 구형시키면서 애틋한 그리움을 바쳤다. 야다리까지도 마음껏 미화시켰다. 어려서 부스럼 때문에 물을 맞으러 가본 적이 있는, 약수가 있는 계곡물처럼 맑은 물이 다리 밑을 흐르고, 물가엔 여기저기 빨래하는 여자들과 깨끗하고 너른 바위와 푸른 숲이 보이고, 다리 모양은 무지개처럼 둥근데, 역시 물 맞으러 갔을 때 본 정자처럼 화려한 단청을 칠한 난간이 쳐져 있어야만 했다. 상상 속의 나의 생모는 상냥하고 깨끗하고 정이 헤픈 떡장수여서 빨래하는 여자들한테 떡을 거저 주고, 남보다 후하게도 주면서 옛날에 버린 딸을 애타게 찾아다니고 있었다.

엄마가 야다리 밑에서 떡장수 한다는 아이들의 놀림이 서럽고 분해서 시작한 울음은 그 엄마가 그립고 보고 싶어 더욱 절절해졌다.

이런 시기를 거쳐 서울로 올 때까지 나는 정작 야다리를 한 번도 본 적은 없었다. 일제 말기에 우리도 피난 겸 낙향을 했지만 나의 학교 관계로 시골집에 살지 않고 개성 시내에 조그만 집을 하나 장만해서 살았다. 그래도 야다리를 찾아가보진 못했다. 그때 이미 나는 다 자란 처녀였다. 야다리를 무대로 유치한 공상을 할 나이도 아니었지만, 시대적인 상황도 과거의 공상의 장소를 찾아가볼 만큼 낭만적이 못 됐다.

피난 온 지 5개월 만에 해방이 되었다. 어머니는 조금만 더 참았으면 서울살림을 그렇게 풍지박산으로 떠업고 피난 오지 않았어도 될 걸 하고 후회하시는 눈치였지만 서둘러서 서울로 돌아가야 할 까닭은 없었다. 우리에겐 오히려 서울살림이 뜨내기살림이기 때문에 그곳에서의 살림은 피난살림이라기보다는 귀향한 것 같은 안정감이 있었다.

곧 미군이 진주해왔다. 송악산만 넘으면, 북쪽엔 소련군이 들어와 있다는 소문이 돌았다. 우리나라가 독립한다는 기쁨에 들떠 너도나도 태극기를 흔들며 독립만세를 부르고 돌아다니느라 우리나라 땅을 왜 미군과 소련군이 반반씩 나누어 진주하는지, 그로 말미암아 장차 우리에게 어떤 일이 생길지는 미처 생각할 겨를이 없었다.

부자나라의 승리한 군대는 그 검박하고 조용한 고도(古都)에 풍요와 자유의 물결을 가져왔다. 먹지 않아도 배가 부르고 괜히 엉덩춤이라도 추고 싶게 유쾌했다. 그러나 그것도 불과 며칠, 미군이 철수하고 소련군이 들어왔다. 소련군의 개성 진주도 며칠 안 갔고 곧 미군이 다시 들어와 6·25동란 후 휴전선이 생길 때까지 개성은 38선 이남이었지만 그 잠시 동안의 그 고장의 공포 분위기는 지금도 잊혀지지 않는다. 38선이란 비극적인 일직선을 긋기 전에 생긴 이런 착오는 어디서부터 비롯된 건지 모르지만 우리 일가의 살림을 뿌리까지 흔들어놓고 말았다.

어머니는 야반도주라도 해서 소련군 점령하의 개성을 벗어나 서울로 가자고 서두르셨다. 순전히 나 때문이었다. 소련군의 행패에 대해 들리는 소문마다 해괴하고 망측했다.

시계만 보면 환장을 하고 빼앗아 차기 때문에 어떤 소련군은 팔목에서 겨드랑이까지 시계를 차고 있더라는 둥, 그만은 못해도 토시 길이만큼 차고 있는 군인은 흔하다는 둥, 호박을 과실인 줄 알고 맛있게 먹더라는 둥, 남의 닭이나 돼지를 잡아서 털만 뽑아 익히지도 않고 먹더라는 둥…… 그러나 이 따위 소문은 약과였다. 어머니가 치를 떨며 두려워하는 소문은 소련군이 닥치는 대로 여자를 강간한다는 소문이었다.

어머니는 개성살림을 미련없이 버리고 서울길을 서둘렀다. 소련군이 들어오자 기차도 끊겨서 장단역까지 걸어가야만 서울 가는 기차를 탈 수 있다고 했다. 어머니와 나는 될 수 있는 대로 허름한 옷을 입고 호청을 뜯어 만든 배낭을 메고 집을 나섰다.

어디만치 왔을 때 어머니가 「야다리」라고 떨리는 소리로 짧게 말씀하셨다. 저만치 보이는 야다리는 내가 어린 날 꿈에 그리던 아름다운 다리가 아니었다. 서울에서도 얼마든지 볼 수 있는 콘크리트로 된 평범한 회색빛 다리였다. 그 밑으로 맑은 물이 흐르고 있는지 살필 겨를도 없었다. 어머니는 나에게 구질구질한 타월을 하나 꺼내주시면서 머리에 푹 쓰라고 눈짓하셨다.

나는 그대로 했다. 어머니는 내가 쓴 타월을 다시 눈썹까지 끌어내려주면서 땅만 보고 걸으라고 윽박지르셨다. 어머니는 떨고 계셨다. 나도 걷잡을 수 없이 가슴이 두방망이질했다. 왜냐하면 야다리엔 양쪽에 소련군이 보초를 서고 있었기 때문이다.

「땅만 보고 걸어야 돼. 그놈들을 쳐다보면 큰일난다. 알았지?」

나는 어머니의 마지막 다짐에 겁에 질려 고개만 끄덕였다. 그리고 우리는 천천히 야다리를 건넜다. 물론 땅만 보고. 속으론 결사적인 용기를 쥐어짜냈지만 겉보기엔 지칠 대로 지친 장사치처럼 일부러 한껏 느릿느릿 야다리를 무사히 통과했다. 그래서 나는 짐승이나 괴물처럼 소문난 소련군을 한번도 직시(直視)해보진 못했다. 그러나 소련군 점령지대를 무사히 벗어나서 기차를 타고 나서도 그들에 대한 혐오감은 가시지 않았다.

이제 와서 생각하니 그때가 직시가 금지된 채, 다만 혼신의 힘을 다해 그들을 미워하며 야다리를 벗어나던 일은 어딘지 상징적이기조차 하다.

「거기 아직도 야다리가 남아 있을까?」

어머니의 이 한마디 속엔 그때의 야다리의 기억과 함께 실로 만감이 서려 있음을 나는 알고 있었다. 그때 그렇게 우습게 시작된 이 땅의 분단은 그 후 어머니의 생애에 얼마나 비통한 피눈물 자국을 남겼던가.

야다리의 회상으로 나는 문득 어머니를 무수한 같은 경험을 가진 친구처럼 느낀다. 그것이 오히려 같은 핏줄이라는 것보다 더 진한 친화감을 불러일으켰다. 어머니가 안 계시면 누구와 더불어 같은 경험을 되씹으랴. 늙는다는 건 같은 경험을 가진 이를 하나둘씩 잃어가는 과정이 아닐까?

어머니, 오래오래 사세요. 나는 그렇게 중얼거렸지만 그건 내가 듣기에도 빈말처럼 들렸다. 내가 정말 어머니의 친구라면, 볼 거 못 볼 거, 별거별거 다 봤으니 더 많이 보는 것도 욕이다 싶어 그만 연화대로 가고 싶다는 어머니의 조용하지만 단호한 소멸의 의지까지도 이해해드릴 줄 알아야 할 것 같다.

내리사랑이란 말이 있다. 어머니를 사랑하기보다는 내 자식을 사랑하기가, 내 자식보다는 손자를 사랑하기가 노력을 요하지 않고 훨씬 더 자연스럽다. 입에 담기도 민망한 노릇이지만 어쩔 수가 없다. 특히 외손자에 대해서는, 외손자를 귀여워하느니 방아깨비를 귀여워하라는 속담까지 있지만, 나는 요새 나를 처음으로 할머니로 만든 괘씸한 나의 외손자한테 거의 빠져 있다시피 한다. 물론 따로 사니까 매일 보는 건 아니지만 매일 보고 싶어하고 아무리 봐도 싫증이 안 난다. 잊어버려서 그런지 모르지만 젊은 날의 연애경험도 이렇게 절실했던 것 같진 않다. 그 녀석의 사진을 책상 위에 두고 하루에 몇 번을 봐도 싫증이 안 날 뿐더러 볼 때마다 절로 웃음이 난다. 어머니를 보면서 곧 나에게도 닥쳐올 늙음 끝의 소멸을 예감하는 일이 쓸쓸하고 서글픈 일이라면, 손자를 통해 늙음이 남기고 가는 힘찬 생성을 확인하는 일은 기쁘고 찬란한 일이다.

흔히 손자는 책임이 없기 때문에 더 귀엽다는 말들을 한다. 나도 손자를 대할 적마다 그런 걸 느낀다. 귀여워해주는 것밖에는 내가 달리 해줄 수 있는 일이 없기 때문에 다만 귀여울 수밖에 없지 않나 싶다. 그리고 귀여워하는 것 외엔 속수무책인 현대의 할머니 노릇에서도 문득 요새 젊은 애들과의 심한 세대차 같은 걸 느끼게 된다.

우리가 아이를 낳아서 기를 때만 해도 우리는 아이들의 할머니가 되는 시어머니나 친정어머니하고 육아의 책임을 어느 만큼은 나누었고, 또 그걸 의무로 알았다. 할머니는 젊은 엄마에게 곧 육아의 스승이었다. 아기의 건강의 이상도 할머니가 먼저 알아맞혔고, 엄마가 발견한 아기의 이상도 의사선생님한테 데리고 가기 전에 우선 할머니하고 의논했다. 어머니, 애가 콧물을 흘리는데 괜찮을까요? 어머니 애가 젖을 게우는데 병원에 데리고 가야 할까요? 등등. 젊은 엄마의 의논에 할머니 말씀은 반(半) 의사처럼 권위가 있었다. 젖을 뗄 시기도, 이유식도 할머니하고 의논하고, 할머니의 분부를 따랐다. 업어주고 안아주는 건 숫제 할머니의 전적인 책임이었다.

그러나 요새 할머닌 그럴 필요가 없다. 젊은 엄마가 뭐든지 알아서 잘한다. 육아도 이제 전통이나 가풍보다는 최신의 정보에 전적으로 의지하고 있다. 새로 나온 육아책, 새로 나온 우유와 이유식, 새로 나온 육아기구와 장난감을 신속히 받아들임으로써 젊은 엄마는 할머니의 도움 없이도 아이를 잘 기르고 있다. 아기에 대해 엄마가 할머니한테 물어보던 시대는 이미 지났다. 거꾸로 할머니가 엄마한테 물어봐야 한다. 신기한 육아기구의 쓸모에 대해, 우유 타는 법에 대해, 우유 먹일 시간에 대해, 이유식에 대해, 보챌 때 보행기를 태울 것인가 아이를 안아줄 것인가에 대해.

나는 내 손자가 보행기에 앉아서 놀고, 또 그걸로 자유로이 방안을 돌아다니는 걸 보면 그 기구가 신기해서 감탄하면서도 불현듯 업거나 안아주고 싶다. 기계적인 차디찬 접촉에서 떼어내어 따뜻한 피부적인 접촉으로 정(情)의 교류를 맛보게 하고 싶어진다. 그래서 얼른 신식 띠가 아닌 구식 처네를 둘러서 포근히 업어주면 아이도 좋아하고 나도 그렇게 행복할 수가 없다. 업고 밖에 나가 아기가 알아듣건 말건 길고 긴 이야기를 한다.

이야긴 얼마든지 있다. 눈에 띄는 모든 자연과 사물의 이름에 대해, 빛깔에 대해, 쓸모에 대해, 유래에 대해…… 등에서 전해오는 아기의 건강한 맥박과 율동과 숨소리, 웃음소리는 조금도 절제되거나 과장되지 않은 싱싱한 생명력 그 자체다.

손자가 있는 늙음이 축복스러운 나머지 아기에겐 뭐든지 좋은 것만 주고 싶어진다. 좋은 먹을 것, 좋은 옷, 좋은 장난감, 좋은 책, 좋은 유치원, 좋은 학교, 좋은 사회, 좋은 나라…… 나는 이 〈좋은〉에다 너무 욕심을 부려서 그런지 현재의 것으론 어느 거나 다 조금, 또는 많이 모자란다. 아무리 구해도 없는 것

살아 있는 날의 소망

이 있고, 또 개인의 힘으론 도저히 구하거나 마련할 수 없는 것도 있고, 어떤 것은 그들을 좋게 하기 위해선 혼자 힘으로도 안 되지만 시간적으로도 몇십 년, 아니 몇백 년이 걸리는 것도 있다. 그러면 저절로 우리 세대가 거친 고난, 역사적인 순간들을 돌이켜보며 그때 그러지 말았어야 하는 건데 하고 뉘우치기도 하고, 이미 돌이킬 수 없이 된 잘못에 대해선 통탄도 하게 된다. 결국 손자에게 마음껏 좋은 것을 줄 수 없음은 아무의 탓도 아닌, 우리 세대가 잘못 산 탓으로 돌릴 수밖에 없어지고 만다.

손자를 업고 있으면 지난 날은 소멸한 게 아니라 현재의 뿌리임을, 지난 날이 현재의 뿌리라면 현재 역시 미래의 뿌리임을, 손자와 나 사이에 흐르는 건 혈연이자 또한 역사임을 아프도록 곰곰이 되씹게 된다.

어머니와 나와 나의 자식과, 나의 손자 사이는 장장 80년이다. 『미래의 충격』을 쓴 토플러의 의견대로 현대의 특성인 단시일 내에 너무 많은 변화가 일어나는 것까지를 감안한다면 그 실질적인 세대차는 80년이 아니라 정말 8백 년쯤 될지도 모른다. 이해와 애정이 단절되거나 소원해지는 건 차라리 당연한 일인지도 모른다. 그러나 내리 단단히 얽힌 역사의 인과(因果)의 고리에서야 누가 감히, 어떻게 단 한치인들 이탈할 수 있으랴. 한여름에도 등골이 시리게, 그 사실만은 냉엄하다.

작가 후기

등단한 지 30년이 된다. 그동안에 낸 산문집 중 절판되어 시중에서 구할 수 없는 것이 5권 분량은 된다. 그중에서 추려서 산문선을 내고 싶어하는 출판사가 내 전집을 꾸준히 간행하고 있는 세계사라 차마 거절하지 못하고 넙죽 호의를 받아들였다. 그러나 그때그때의 시사성이 농후한 칼럼이나, 흔히 잡문이라 낮춰 부르는 토막글들은 어쩔 수 없이 한물간 것들인데, 어제 것도 낡아뵈는 이 급변하는 세상에 구태여 되살릴 필요가 있을까 싶어 여간 망설여지지가 않았다. 선별은 출판사에서 알아서 해주었지만, 이런저런 망설임과 일단 발표한 글을 다시 읽어보기를 싫어하는 마음 때문에 마냥 게으르게 굴다 보니 교정을 보는 데만도 한 달도 더 걸렸다. 너무도 적나라하게 드러난 내 삶의 궤적을 외면하고 싶은 것도 게으름의 한 원인이었다.

어찌 됐건 또 한 권의 책을 내는 걸 피할 수 없게 되었으니 변명삼아 한마디하자면, 여기 모인 글들은 내 개인의 흔적인 동시에 내가 작가로서 통과해온 70년대, 80년대, 90년대가 짙게 묻어나 있는 글들이다. 우리는 앞만 보고 달리다가도 우리가 살아낸 시대가 과연 무엇이었을까 문득 뒤돌아보고 싶어질 때가 있다. 무의미한 현실도 좋은 추억이 있으면 의미 있는 것이 되고, 나쁜 기억도 무력한 현재를 고양시킬 수 있는 에너지가 될 수 있다는 것을 저절로 알고 있기 때문이 아닐까. 변명치고는 너무 거창한 변명이 된 것 같지만, 언제 씌어진 것인가를 감안하지 않고 읽는 독자가 혹시 있을지도 모른다는 걱정 때문임을 밝히며 양해를 구한다.

마지막으로 기왕에 나온 책들을 전집이나 선집으로 되살려 꾸준히 관리해준 세계사에 이 자리를 빌려 깊은 감사를 드린다.

2000년 1월
박완서

아름다운 것은 무엇을 남길까

지은이 · 박완서
초판발행 · 2000년 1월 31일
2 쇄발행 · 2000년 2월 22일
펴낸이 · 최선호
펴낸곳 · (주)도서출판 세계사
주소 · 121-070 서울 마포구 용강동 494-85
전화번호 715-2341(영업) · 715-1541(편집)
팩시밀리 715-1544
출판등록 1988년 12월 7일(제1-847호)
인쇄 · 백왕인쇄
제본 · 문원제책
ⓒ 박완서, 2000. Printed in Seoul, Korea
*저자와 협의하여 인지를 붙이지 않습니다.

값 8,000원

ISBN 89-338-4051-6   03810